OPEN
风度阅读
书传递灵魂

一批穷人的命运的改变，永远比几个富人的产生更值得一个国家或一个时代欣喜。

中国人，你缺了什么

梁晓声 著

中华书局

图书在版编目（CIP）数据

中国人，你缺了什么/梁晓声著. —北京：中华书局，2013.4
（2015.7 重印）
ISBN 978 – 7 – 101 – 09258 – 5

Ⅰ.中…　Ⅱ.梁…　Ⅲ.①散文集 – 中国 – 当代②随笔 –
作品集 – 中国 – 当代　Ⅳ.I267

中国版本图书馆 CIP 数据核字（2013）第 053839 号

书　　名	中国人，你缺了什么
著　　者	梁晓声
责任编辑	焦雅君　何　龙
出版发行	中华书局
	（北京市丰台区太平桥西里 38 号　100073）
	http://www.zhbc.com.cn
	E-mail：zhbc@ zhbc.com.cn
印　　刷	北京瑞古冠中印刷厂
版　　次	2013 年 4 月北京第 1 版
	2015 年 7 月北京第 6 次印刷
规　　格	开本/700×1000 毫米　1/16
	印张 17　插页 2　字数 150 千字
印　　数	70001 – 76000 册
国际书号	ISBN 978 – 7 – 101 – 09258 – 5
定　　价	36.00 元

从"中华书局"想到的

　　这是我在中华书局出的第一本书。

　　此前，我为中华书局所出的书写过短评、推荐语。记忆中，似乎还写过一篇序的。我担任国家图书馆"文津奖"评委时，也曾为中华书局的获奖图书投过赞成票。

　　现在，中华书局也将出版我的书了。对于自己的书之出版，我竟已有些麻木。好比卖包子的，尽管一如既往做得认真，却早就没了起初的成就感——不论什么事，只要是与人生切近的事，起初做来倘获认同，便总是多少会有点儿成就感的。久之则淡漠。

　　而我又确实有几分高兴。

　　"中华书局"——我格外喜欢这四个字，当然也就乐见这四个字印在我的书上。

　　比之于"出版社"，我觉得"书局"二字将与书的关系体现得更直接，且有种古色古香的意味。"书局"也使我联想到"坊间"二字。在我看来，"坊间"是中国文人从前的民间——区别于民间，贴近着民间，影响着民间。有"坊间"的年代挺令我这种人怀想的。对于中国而言，"书局"不啻是"坊间"的名号遗产。"中华书局"乃是中国唯一的那一种遗产。一想到那时的"华"字与"书"字都是繁体的，尤觉古色古香了。

"书局"二字还使我联想到"书的局面"。这自然非是"书局"的原意，只不过是我自己的胡思乱想。

那么，"中华书局"四字，每使我这种写书的人清醒，似乎对我能起到告诫的作用——你的写作，客观上介入了"中华"之"书的局面"，切莫等同于跻身"酒局"、"饭局"、"赌局"、"设局"；当好自为之，好自为之！

没有任何"出版社"能使我产生如上一些联想。书之出版何以要由"社"来进行，这是我困惑久矣的事。不知为什么，"社"总是使我联想到"社来社去"四个字，不是多有书香气的一种联想。

以后好了，我也有一本，不，将有两本由古色古香的"中华书局"出版的书了，这能重新唤起我对书香气的敬意，我实在也"社来"、"社去"得太久了，故便麻木。

我想，我要将"中华书局"四字用毛笔大大地写了，贴在墙上，使自己可经常看到，并经常自我告诫——切莫等同于跻身"酒局"、"饭局"、"赌局"、"设局"，而是介入了"中华"之"书的局面"，当好自为之，好自为之！……

2013年3月3日于病中

目 录

I. 公民的底线

阳光底下，农村人，城市人，应该是平等的。弱者有时对这平等反倒显得诚惶诚恐似的，不是他们不配，而是因为这起码的平等往往太少，太少……

Ⅱ. 人性的质地

其实人文就在我们的寻常生活中，就在我们人和人的关系中，就在我们人性的质地中，就在我们心灵的细胞中……

Ⅲ. 被撕裂的中国

中国已经有必要有能力多少关怀一下穷人的生存状况和命运了，再拖延下去就不是回子事了。此国家大理也，符合社会之仁性也。

I.
公民的
底
线

儿子·母亲·公仆·水

在福建省东山县，曾听人讲到这样一件事。——当年，谷文昌们初登岛时，岛上生存条件非常恶劣：沙患严重，草木不生，而且极其缺水，一遭旱灾，十井九枯。水之宝贵，如同西部水源稀少之地。

那种情况下，即使某井未干，井水也浅得可怜。可怜到什么程度呢？以分米厘米言之，非夸张也。

这么浅的水，又如何汲得上来呢？

办法自然是有的。

便是——用一条长长的绳索，将小孩子坠下井去。孩子须在井上脱了鞋，以免鞋将浅浅的水层踩脏了。孩子被坠下时，还须怀抱一个瓷罐，内放小饭勺一只。孩子的小脚丫一着井底，便蹲下身去，用小勺一勺一勺地往罐里装水。对于孩子，那意味着一项重要的工作，也可以说是一项重要的任务。仿佛汤锅里注油，要以很大的耐心和使命感来完成，急不得的。急也没用。罐里的水满了，便被吊上去。由守在井口的大人，倒在盆里或桶里。每每吊上几罐水去以后，井水被淘干了。孩子就得耐心地等着水再慢慢浮现一层。孩子只能蹲着，或站着，等。那时，守在井口的大人，也只能更加耐心地等。如此这般，吊上去的水差不多够一家人做饭和喝的了，总需一个来小时，或更长的时间。而孩子那一双赤着的小脚丫，是没法儿始终不踩在冰凉的井底的。水干了，踩着的是冰凉的井泥。水又慢慢渗出一层来，那小脚丫便在冰凉的井水里浸泡着。而有时，井口等水的大人们会排起长队来；那就需有几个孩子也排在井边，轮番被坠下井去。从井里被用绳索扯上来的那个孩子，他解开绳子，一转身就会朝有沙子的地方跑去。朝阳地方的沙子毕竟是温暖的，孩子一跑到那儿，就一屁股坐下去，将两只蹲麻了而且被冰凉的井水渗红了的小脚丫快速地埋入温暖的沙中……

有一户人家的房屋，盖在离别人家的房屋挺远的地方。这一户人家的屋后有一口井。某年大旱，那口井很侥幸地将干未干。孩子的父亲到外地打工去了，只有母亲和孩子留守家中。母亲别无他法，不得不天天将自己六岁的儿子坠下井去弄水。一日傍晚，孩子在井下灌水，母亲却由于又饥又渴，还病着，发着烧，竟一头栽倒井旁，昏了过去。孩子在井下上不来，只有喊，只有哭。喊也罢，哭也罢，却没人听到。天渐渐黑了，孩子既不喊也不哭了，因为他的嗓子已喊哑了，他的眼里已哭不出泪来了。后半夜，母亲被冷风吹醒了，这才急忙将孩子拽上来——孩子浑身慄抖不止，连话都说不出来了。然而，却紧紧地搂抱着罐子。罐子里，盛着满满的水……

后来那孩子的双腿，永远也站不直了。

当年东山县的县委书记谷文昌也听说了这件事。于是对县长发了一个毒誓："如果我们县委不能率领东山百姓治除沙患，不能让东山的老百姓不再为一个水字发愁，那么就让我哪天被沙丘活埋了吧！"

当然，他并没有被沙丘活埋。

因为他在任县委书记的十四年间，任劳任怨，百折不挠，制伏了东山县的沙患，也为东山县的百姓彻底解决了用水难题……

我听罢，始而震动，继而感动。

何谓公仆？

公仆者，爱百姓如爱父母者也。

倘有此情怀，皆大公仆也；然这等"情怀"，不会是天生的啊！前提是对百姓的疾苦，耳能听到，眼能看到。听到了，看到了，还要心疼。谷文昌是农民出身，在河南某地任区委书记时，便天天与百姓们发生着亲密的接触，将为人民服务，视作己任。恤民之情，在他是一件自然而然之事，无须别人教导，故他到了东山当了县委书记以后，凡十四年间，公仆本色，一日也不曾改变过。这是与现在的某些官员很不同的。现在的某些官员，往往一天也没有与百姓的生活打成一片过，仅靠走通了"上层路线"，平步青云就成了"公仆"了。"公仆"倒是越做越大，离百姓们却是越来越远，最后远到老百姓想见他们一面简直比登天还难。这些个"公仆"，有耳，那耳也只剩下了一个功能——专听上峰旨意和官场动向；有眼，那眼也不再看得到别的，仅见上峰的脸色如何和官场的晋升诀窍而已。对于百姓之疾苦，自己有眼视而不见，自己有耳听而不闻，彻底麻木，心冷如石，如铁，连一点儿一般人的恻隐最终都丧失了。别人的耳听到了，别人的眼看到了，告知他们；他们往往陡然变色，心特烦……

在某大学，当我将孩子、母亲、公仆和水的一段往事讲给学子们听后，台下有一名女生忽然哭了。

人皆讶然。

我问她为什么哭？

答："和半个多世纪前东山县那个男孩类似的经历，我也有过。只不过我被母亲用绳索坠下的不是深井，是我们西部人家的水窖。我们那儿根本打不出井水来，家家户户的水窖里蓄的是冬季的雪水和夏季的雨水。只不过我比那个男孩幸运，我的经历是绳索断了，我重重地摔在水窖里，磕掉了两颗门牙……"

人皆由讶然而肃然。

高坐台上的我，怔愣许久，不知究竟该说几句什么话好。

数月后，在一次关于中国农民生活现状的研讨会上，我听一位专家介绍——目前仍有46%的农村没有自来水；其中半数左右的农村饮用水，含有对人体有害甚至有严重危害的物质；而由于农村的生产方式早已由集体化转变为个体化，国家对农业机械化的直接扶植，其实已由从前的0.4%减少为0.35%……

我又一次受到震动。

要让农民也喝上放心的水，不再为喝水发愁，中国该需要多少谷文昌？

抑或，需要支出多少钱？

没有那么多谷文昌，有那么多钱也好啊！

然而细细想来，谷文昌们和钱，中国是都有些缺少的吧？

贫富论

苏格拉底、亚里士多德、黑格尔、奥古斯丁、莎士比亚、培根、爱迪生、林肯、萧伯纳、卢梭、马克思、罗斯金、罗素、梭洛……

古今中外，几乎一切思想者都思想过贫与富的问题。以上所列是外国的。至于吾国，不但更多，而且最能概括他们立场和观点的某些言论，千百年来，早已为国人所熟知。不提也罢。

都是受命于人类的愿望进行思想的。

从前思想，乃因构成世界上的财富的东西种类欠丰，数量也不充足，必然产生分配和占有的矛盾；现在思想，乃因贫富问题，依然是世界上最敏感的问题——尽管财富的种类空前丰富了，数量空前充足了……

这世界上政治的、经济的、军事的、外交的，以及改朝换代的大事件，一半左右与贫富问题相关。有时表面看来无关，归根结底还是有关。那些大事件皆由背景因素酝酿，阶级与阶级、国与国、民族与民族之间的贫富问题常是幕后锣鼓、事件主题。

贫富悬殊是造成年代动荡不安的飓风。

不平等的经济现象是形成那飓风的气候。

从前那飓风往往掀起暴乱和革命，就像灾难席卷之后发生瘟疫一样自然而然。

从前处于贫穷之境无望无助的一部分人，需要比克服灾难和瘟疫大得多的理性，才能克制揭竿而起的冲动。

从前"调整"贫富悬殊的是仇恨，现在是经济水平。

在动荡不安的年代连宗教也无法保持其只负责人类灵魂问题的立场，或成为可利用的旗帜，或成为被利用的旗帜。比如太平军起义，比如十字军"东征"。

一个阶层富到了它认为可以的程度，几乎必然产生由其代表人物主宰一个国家长久命运的野心。

那野心是它的放心。

一个国家富到了它认为可以的程度，几乎必然产生由其元首主宰世界长久命运的野心。

那野心也是它的放心。

符合着这样的一种逻辑——能做的，则敢做。

第一次世界大战以前的世界史满是如此这般的血腥的章节。

第一次世界大战的结束其实不是由胜败来决定的，是由卷入大战之诸国的经济问题决定的。诸国严重的经济虚症频频报警，结束大战对诸国都是明智的。

二战的起因尤其是世界性的贫富问题引起的，这一点体现于德日两国最为典型，英美当时的富强使它们既羡慕又自卑。对于德日两国，在最短的时间内最快地富强起来的"方式"，在它们想来只有一种，那是一种凶恶的"方式"。它们凶恶地选择了。

希特勒信誓旦旦地向德国保证，几年内使每户德国人家至少拥有一辆小汽车；东条英机则以中国东北广袤肥沃的土地、无边无际的森林以及丰富的地下资源诱惑日本的父母，为了日本将自己的儿子送往军队……

海湾战争是贫富之战，占世界最大份额的石油蕴藏在科威特的领土之下，在伊拉克看来是不公平的……

巴以战争说到底也是民族与民族的贫富之战。对巴勒斯坦而言，没有一个像样的国都便没有民族富强的出头之日；对以色列，耶路撒冷既是精神财富，也是将不断升值的有形财富……

柏林墙的倒塌，韩朝的握手，不仅证明着统一的人类愿望毕竟强烈于分裂的歧见，而且证明着希望富强的无可比拟的说服力……

台湾不再敢言"反攻大陆"，乃因大陆日渐昌盛，"反攻"只能被当成痴人说梦……

克林顿的支持率始终不减，乃因他是使美国经济增长指数连年平稳上升的总统……

欧盟之所以一直存在，并且活动频频，还发行了统一的欧元，乃因它们认为——在胜者通吃的世界经济新态势前，要在贫富这架国际天平上保持住第二等级国的往昔地位，只有联盟起来才能给自己的信心充气……

阿尔诺德曾说过这样的话："几乎没有人像现在大多数英国人持有这么坚定的信念，即我们的国家以其充足的财富证明了她的伟大和她的福利精神。"

但狄更斯这位英国作家和萧伯纳这位英国戏剧家笔下的英国可不像阿尔诺德说的那样。

历史告诉我们，"日不落帝国"曾经的富强，与它武力的殖民扩张有直接的因果关系。

阿尔诺德所说的那一种"坚定的信念"，似乎更成了美国人的美国信念而不是英国人的英国信念。美国今日的富强是一枚由投机和荣耀组合成的徽章。从前它靠的是军火，后来它靠的是科技。

一个国家在它的内部相对公平地解决了或解决着贫富问题，它就会日益在国际上显示出它的富强。哪怕它的先天资源不足以使其富，但是它起码不会因此而继续贫穷下去。

中国便是这样的一个例子。

中国改革开放最显著的成果，不是终于也和别国一样产生了多少富豪，而是各个城市里都在大面积地拆除溃疡一般的贫民区。

中国只不过是一个正在解决着贫穷人口问题的国家。

否则它根本没有在世界面前夸耀什么的资本，正如一位子女众多的母亲，仅仅给其中的一两个穿上漂亮衣裳而炫示于人，那么其虚荣是可笑的。

贫富的问题一旦从国际谈到国家内部，先哲们不但态度和观点相左，有时甚至水火相克誓不两立。

耶稣对一位富人说："你若愿意做仁德之人，可去变卖你所有的财富分给穷人。"

否则呢，耶稣又说："骆驼穿过针眼，比财主进上帝的国门还容易呢。"

耶稣虽不是人，但是他的话代表着古代的人对贫富问题的一种愿望。比之一部分人后来的"革命"思想，那是一个温和的愿望。比之一部分人后来在发展生产力以消除贫穷现象方面的成就，那是一个简单又懒惰的愿望。

人类的贫穷是天然而古老的问题。因为人类走出森林住进山洞的时候，一点儿也不比其它动物富有。

一部分人的富有靠的是总体生产力的提高。

全人类解决贫穷现象还要靠此点。靠富人的仁德解决不了这一点。

苏格拉底是多么伟大的思想家啊！

可是他告诉他的学生阿德曼托斯：当一个工匠富了以后，他的技艺必大大退化。他并以此说明富人多了对人类社会发展的危害。

他的学生当时没有完全接受他的思想，然而也没有反对。

但事实是，一个工匠富了以后，可以开办技艺学校、技艺工厂，生产出更多更好的产品。那些产品吸引人们去消费，提升了人们的消费水平，甚至可引领消费时尚。人们为了买得起那些产品，必得在自己的行业中加倍工作……

人类社会基本上是按这一经济的规律发展的。

因而我们有根据认为苏格拉底错了……

经院哲学的集大成者阿奎那不但赞成苏格拉底，而且比苏氏的看法更激烈。

他说："追求财富的欲望是全部罪恶的总根源。"

如果人类的大多数至今还这么认为，那么比尔·盖茨当被烧死一百次了。

但是财富和权力一样，当被某一个人几乎无限地垄断时，即使那人对财富所持的思想无可指责，其合法性也还是会引起普遍的不安，深受怀疑。

普通的美国人自然不可能同意阿奎那的神学布道，但是连明智的美国也要限制"微软"的发展。幸而美国对此早有预见，美国法律已为限制留下了依据。

比尔·盖茨其实是无辜的。

"微软"其实也没有什么"罪恶"。

是合法的"游戏规则"导演了罕见的经济奇迹，而那奇迹有可能反过来破坏"游戏规则"。

美国限制的是美国式的奇迹本身。凡奇迹都有非正常性。

一个国家成熟的理性正体现在这里。

培根不是神学权威。但睿智的培根在财富问题上却与阿奎那"英雄所见略同"。连他也说:"致富之术很多,其中大多数是卑污的。"

他的话使我们联想到马克思的另一句话——(在资本主义制度之下)资本所积累的每一枚钱币,无不沾染着血和肮脏的东西。

按照培根的话,比尔·盖茨是卑污的。

但全世界都不得不承认他并不卑污。

按照马克思的话,美元该是世界上最肮脏的东西了。但是连我们中国人,也开始用美元来计算国家财政的虚实了。而且,一个中国富豪积累人民币的过程,就今天看来,其正派的程度,肯定比一个美国人积累美元的过程可疑得多。因为一个中国富豪积累人民币的过程,太容易是与中国的某些当权者的"合作"过程了。

任过美国总统的约翰逊说:"所有证明贫困并非罪恶的理由,恰恰明显地表明贫困是一种罪恶。"

萧伯纳在他的《巴巴拉少校》的序中则这样说:"穷对一个人意味着什么呢?意味着让他虚弱,让他无知,让他成为疾病的中心,让他成为丑陋的展品,肮脏的典型,让他们的住所使城市到处是贫民窟,让他们的女儿把花柳病传染给健康的小伙子,让他们的儿子使国家的男子汉变得有瘰症而无尊严,变得胆怯、虚伪、愚昧、残酷、具有一切因压抑和营养不良所生的后果……不论其他任何现象都可以得到上帝的宽容,但人类的贫穷现象是不能被宽容的。"

而黑格尔的一番话也等于是萧伯纳的话的注脚。他说:"当广大群众的生活低到一定水平——作为社会成员必须的自然而然得到调整的水平——之下,从而丧失了自食其力这种正常和自尊的感情时,就会产生贱民。而贱民之产生同时使不平均的财富更容易集中在少数人手中……"

他还说："贫困自身并不使人必然地成为贱民。贱民只是决定于与贫困为伍的情绪。即决定于对富人，对社会，对政府等等的内心反抗。此外，与这种情绪相联系的是，由于依赖偶然性，人变得轻佻放浪、嫌恶劳动。这样一来，在他们中便产生了恶习，不以自食其力为荣，而以恳求乞讨为生并作为自己的'特权'。没有一个人能对自然界主张权利。但是在社会状态中，怎样解决贫困问题，当然是贫困人群有理由对国家和政府主张的权利……"

怎样回答他们呢?

林肯1864年在《答美国纽约工人联合会》时说："一些人注定的富有将表明其他人也可能富有。这种个人希望过好生活的愿望，在合法的前提之下，必对我们的事业产生巨大的推动力。"

在一切不合法的致富方式和谋略中，赎买权力或与权力相勾结对社会所产生的坏影响是最恶劣的。

这种坏影响虽然在中国正遭到打击，但仍表现为相当泛滥的现象。

它使我想到，若林肯是今天的中国总统，究竟有多少贫穷的中国人会相信他那番话?

我个人的贫富观点是这样的——我承认财富可以使人生变得舒服，但绝不认为财富可以使人生变得优良。一个瘦小的秃顶的老头儿或一个其貌不扬的男人娶了一位如花似玉的娇妻，那必在很大程度上是财富"做媒"。他内心里是否真的确信自己所拥有的幸福，八成是值得怀疑的。对她亦如此，财富可以帮助人实现许多欲望，却难以保证每一种实现了的欲望的质量。

当然，我也绝非那种持轻蔑财富的观点的人。

我一向冷静地轻蔑一切关于贫穷的"好处"的言论。

威廉·詹姆士说:"赞美贫穷的歌应该再度大胆地唱起来。我们真的越发地害怕贫穷了,我们蔑视那些选择贫穷来净化和挽救其内心世界的人。然而他们是高尚的,我们是低贱的。"

我觉得他的话即使真诚也是虚假的。

我不认为他所推崇的那些个人士全都是高尚的,不太相信贫穷是他们情愿选择的,尤其是,不能同意贫穷有助于人"净化和挽救其内心世界"的观点。我对世界的看法是,与富足相比,贫穷更容易使人性情恶劣,更容易使人的内心世界变得黑暗,而且充满沮丧和憎恨。

我这么认为一点儿也不觉得我精神上低贱。

中国从古至今便有不少鼓吹贫穷的"好"处的"文化"。

最虚假可笑的一则"故事"大约是汉朝末年,讲管宁和华歆同窗时,某日锄地,挖出了一块金子,管宁视之与瓦砾无异,锄地依旧。而华歆却捡起来端详一番后,才随手扔掉……

这则"故事"的褒贬是分明的。

中国文人文化的一种病态传统,便是传播着对金钱的病态的态度。

但是我们又知道,中国之文人,一向对于自身清贫的自哀自怜也最多。倘居然还未大获同情和敬意,便美化甚至诗化清贫以自恋。

而我,则一定要学那个遭贬的端详金子的人。倘我的黄金拥有量业已多到了无处放的程度,起码可以送给梦想拥有一块黄金的人。一块金子足可使一户人家度日数年啊!

何况,古文人的"唯有读书高",最终还不是为了仕途吗?

所谓仕途人生,还不是向往着服官装、住豪宅、出马入轿、唤奴使婢、享受俸禄吗?俸禄又是什么呢,金银而已。

我更喜欢《聊斋志异》里那一则关于金子的故事,讲的也是书生夜读，有鬼女以色挑之，书生识破其伎俩，厉言斥去；遂以大锭之金诱之，掷于窗外……

明智的人总不能拿身家性命换一夜之欢、一金之财啊。

但若非是鬼女，或虽是，信其意善，则另当别论了。比如我，便人也要，金也要。

还是不觉得自己低贱。

但我对财富的愿望是实际的。

我希望我的收入永远比我的支出高一些；而我的支出与我的消费欲成正比；而我的消费欲与时尚、虚荣、奢靡不发生关系。

不知从哪个年代开始，我们中国人，惯以饮食的标准来衡量生活水平的高低。仿佛嘴上不亏，便是人生的大福。

我认为对于一个民族，这是很令人高兴不起来的标准。

我觉得就人而言，居住条件才是首要的生活标准。因为贪馋口福，只不过使人脑满肠肥，血压高，脂肪肝，肥胖。看看我们周围吧，年轻的胖子不是太多了吗？

而居住条件的宽敞明亮或拥挤、低矮、阴暗潮湿，却直接关系到人的精神状态的优劣。

我曾经对儿子说——普通人的生活值得热爱。也许人生最细致的那些幸福，往往体现在普通人的生活情节里。

一对年轻人大学毕业了，不久相爱结婚了。以他们共同的收入，贷款买下七十平方米居住面积的商品房并非天方夜谭，以后十年内他们还清贷款也并非白日做梦。之后他们有剩余的钱为自己和儿女买各种保险。再之后他们退休了，有一笔积蓄，不但够他们养老，还可每年旅游一次。再再以后，他们双双进入养老院，并且骄傲于非是靠慈善机构的资助……

这便是我所言的普通人的人生。

它用公式来表示就是——居住面积70平方米的住房＋共同的月收入×元。

我知道，在中国，这种"普通人"的人生对90%的当代青年还是可望而不可即的事。但毕竟，对10%左右的青年，已非梦想。

什么时候10%的当代青年已实现了的生活，变成90%的当代青年可以实现的生活，中国就算真的富强了。

贫富也就是多余的话题了……

中国的文化需要补课吗

20世纪80年代以后，"差距"二字，几成国人口语。改革开放伊始，门户渐敞，欧风徐入，吾往彼至，两相比照，于是我们"猛丁"地发现了自己和西方发达国家之间的区别。那区别意味着显而易见的落后。那落后令我们汗颜。于是在惊呼"差距"的同时，油然而生自觉"补课"的迫切愿望。

要补一些什么课呢？

首先要补经济发展模式一课；还要补上企业管理方法一课；科研水平也不能再居于人下了；教育的理念更应迎头赶上；至于国民文明素质，那还用说吗？哪一个国家的人不希望别国人夸自己是文明的人呢？……

一言以蔽之，中国人迫切想要补上的，差不多是完完整整的资本主义一课。对于中国人，资本主义终于不再是洪水猛兽，只不过是"一课"而已了。一批又一批形形色色出国考察的人士，所怀着的，仿佛皆是一种朝圣拜贤的心理。而归国后所作的一场场不同屋顶下的报告，口径却都是空前一致的——不但存在，而且比我们自己想象的更大，也更多。"课"不但必须补，而且时不我待；胆子要大一些，步子要快一些，思想要更解放一些……

时至今日，我们确实补上了不少方面的"课"。那些"课"补得很及时，亦殊破禁忌。对于中国之崛起，助推作用不言而喻。

二十余年弹指一挥间，倘我们反观昨天，会发现一个特别奇怪的现象，那就是——从昨天到今天，我们张口"差距"闭口"补课"，虔虔诚诚地自我提醒了二十余年，却很少听到一种格外响亮又格外能引起共鸣的声音——其实我们在文化方面与西方发达国家相比也是有差距的！而且，那差距也很大。客观地看待，恐怕我们曾落后过还不止五十年。尽管如今看来，别人的文化在时尚着、娱乐着；我们的文化也同样在时尚着、娱乐着；但拂去时尚的浮光掠影，娱乐之喧寂，那差距又分分明明地呈现着了，换言之，时尚过后娱乐过后的他们，足下踏石，因而也踏实。那是一块文化的石。而我们，竭力以比他们更时尚更娱乐的姿态表演着我们当今的文化，为的是和他们一样，然彼此彼此之后，脚下却似无物。总而言之，给我们这么一种印象——我们整个的民族，精神上似乎已无所依傍，于是，文化上也只能比别人更不消停地时尚和娱乐。一旦不时尚不娱乐了，我们的文化便失语了。倘真的停止时尚停止娱乐，我们睁大我们的眼，也许看不到我们剩下来的文化还有什么……

乃因那差距决定的。

人文现象、人文意识、人文思潮——人类用了有文字以来五千余年的时间，缓慢而又自信地完成着文化的演进。在这五千余年的时间里，我们中国人在文化思想方面是无愧于世的。即使不比别人优秀，也起码不比别人落后。

然而到了近代，情况大相径庭了。

当西方的文化在人文主义旗帜的引领下高歌猛进的时候，我们却迎来了腐朽又腐败因而注定没落的封建王朝的末叶。

落后就挨打，这一句话不应仅仅被诠释被理解为经济落后科技落后军事落后了就挨打。

文化落后了也是要挨打的。

因为，我们从一个国家落后的现象回顾它的历史，必能自五十年前一百年前或更长时间以前它的文化思想中，指证出它以后在政治、经济、科学、军事、教育、国民素质等等诸方面必然落后的真正原因。

怎么能指望清王朝也乐于跟进人类历史发展的阶段，能动性地迈向资本主义？它视资本主义如厄运，统治心理上当然憎恨人文主义的文化思想。

故我对于大唱清王朝赞歌的文化现象是极为嫌恶的。

我以我眼看历史，它面临了腐朽又腐败的时期，它对人文主义文化思想便很憎恨。

到了"五四"运动，当中国人终于在清王朝的废墟上祭起人文主义文化思想旗帜时，西方资本主义文化业已基本完成了初期人文主义的启蒙和普及。

自由要的是人性权利；平等要的是人生权利；博爱主张的是社会原则。

以为西方初期人文主义所言之"平等"乃是"法律面前人人平等"，是一种长期以来的曲解。

如果一个国家的法律都不能平等地对待它的一切公民，那么这个国家有点悬。

"法律面前人人平等"连人文主义所主张的平等的底线都根本算不上。

西方初期人文主义所言之"平等"——乃指人人生来都有权向他或她的国家诉求受教育的权利、从事职业的权利、生病就医的权利，和其他种种社会保障的权利。而这当是国家的至高义务。

"五四"运动是我们中国人对自己的文化下的一剂猛药。它的功过，此不赘言。然而它是一场夭折了的人文主义的文化启蒙运动，却是不争的事实。

后来呢，军阀割据，烽烟四起，连年内战，"城头变幻大王旗"——任何的文化思想，都难弘扬。文化不知何处去，处处空留文化城。

再后来，日寇猖獗，山河破碎……

接着是内战……

文化何曾有过喘息的时候？

而1949年以后，中国进入了以服务于阶级斗争的文化为主流文化的阶段，连人道主义也成为文化避之不及的雷区；而"自由"和"平等"，则成为文化所猛烈攻击的"反动"文化思想……

那时，西方诸国之文化，已开始进入后人文时期，即提升资本主义形象的文化建构时期。

如今我们反观中国20世纪80年代的种种文化现象，一切正面意义的总和，其实只不过是在做着西方许许多多文化知识分子早就通力而为，并且做得卓有成效的事情。

雨果也罢，安徒生也罢，他们一百七八十年前所启蒙的文化思想，比一百七八十年后的所有中国文化知识分子共同的文化思想成果还要影响深远。

80年代的中国文化思想刚刚显示出些许人文主义的色彩，却招致了两场政治运动的当头棒喝……

我以我眼看来，其后的某些事情，实在也是文化太过受压，思想太过郁闷的结果。

商业文化的时代来了。

时尚文化的时代来了。

娱乐文化的时代来了。

我们现当代文化链环上断缺的一环，依然断缺着……

若问，我们和我们的下一代，乃至下一代的下一代，在商业的、时尚的、娱乐的文化背景前狂欢之时，谁能告诉我，脚下垫着什么没有？倘有，那"东西"的成色是什么？倘竟没有，我们又该为我们的下一代做点什么？怎么做？

我困惑。

一个国家的当下状态，所反应的必是它此前五十年来，一百年来，两百年来乃至更长时期以来的文化的演进过程。

我们的文化，端详它半个多世纪里的容貌，在人文主义的思想方面是太稀缺了，而要在极其商业的、时尚的、娱乐的、快餐式的文化时代补上这一课，形同亡羊补牢也。

但那也不能不补！

文明的尺度

某些词汇似乎具有无限丰富的内涵，因而人们若想领会它的全部意思并非一件简单的事情。

比如宇宙。

比如时间。

不是专家，不太能说清楚。

即使听专家讲解，没有一定的常识，也不太容易真的听明白。

但在现实生活之中，却仿佛谁都知道宇宙是怎么回事，时间是怎么回事。

为什么呢？

因为宇宙和时间作为一种现象，或曰作为一种概念，已经被人们极其寻常化地纳入一般认识范畴了。

大气层以外是宇宙空间。

一年十二个月一天二十四小时每小时六十分钟每分钟六十秒。

这些基本的认识，使我们确信我们生存于怎样的一种空间，以及怎样的一种时间流程中。

这些基本的认识对于我们很重要，使我们明白作为个体的人其实很渺小，"人生寄一世，奄忽若飙尘"；也使我们明白，"人生易老天难老"，时间即上帝，人类应敬畏时间对人类所做种种之事的考验。

由是，我们的人生观价值观大受影响。

对于普通人，我们具有如上的基本认识，足矣。

"文明"也是一个类似的词。

东西方都有关于"文明"的简史，每一本都比霍金的《时间简史》厚得多。世界各国，也都有一批研究文明的专家。

一种人类的认识现象是有趣也发人深省的——人类对宇宙的认识首先是从对它的误解开始的；人类对时间的概念首先是从应用的方面来界定的。

而人类对于文明的认识，首先源于情绪上、心理上，进而是思想上、精神上对于不文明现象的嫌恶和强烈反对。

当人们都确信某现象为第一种"不文明"现象时，真正的文明即从那时开始。

正如霍金诠释时间的概念是从宇宙大爆炸开始。

文明之意识究竟从多大程度上改变并且还将继续改变我们人类的思想方法和行为方式，这是我根本说不清的。但是我知道它确实使别人变得比我们自己可爱得多。

上世纪80年代我曾和林斤澜、柳溪两位老作家访法。有一个风雨天，我们所乘的汽车驶在乡间道路上。在我们前边有一辆汽车，从车后窗可以看清，内中显然是一家人。丈夫开车，旁边是妻子，后座是两个小女儿。他们的车轮扬起的尘土，一阵阵落在我们的车前窗上。而且，那条曲折的乡间道路没法超车。终于到了一个足以超车的拐弯处，前边的车停住了。开车的丈夫下了车，向我们的车走来。为我们开车的是法国外交部的一名翻译，法国青年，他摇下车窗，用法语跟对方说了半天。后来，我们的车开到前边去了。

我问翻译："你们说了些什么？"

他说，对方坚持让他将车开到前边去。

我挺奇怪，问为什么？

他说，对方认为，自己的车始终开在前边，对我们太不公平。对方说，自己的车始终开在前边，自己根本没法儿开得心安理得。

而我，默默地，想到了那法国父亲的两个小女儿。她们必从父亲身上受到了一种教育，那就是——某些明显有利于自己的事，并不一定真的是天经地义之事。

隔日我们的车在路上撞了一只农家犬。是的，只不过是"碰"了那犬一下。只不过它叫着跑开时，一条后腿稍微有那么一点儿瘸，稍微而已。法国青年却将车停下了，去找养那只犬的人家。十几分钟后回来，说没找到。半小时后，我们决定在一个小镇的快餐店吃午饭，那法国青年说他还是得开车回去找一下，说要不，他心里很别扭。是的，他当时就是用汉语说了"心里很别扭"五个字。而我，出于一种了解的念头，决定陪他去找。终于找到了那条犬的主家，而那条犬已经安然无事了。于是郑重道歉，于是主动留下名片、车号、驾照号码……

回来时，他心里不"别扭"了。接下来的一路，又有说有笑了。

我想，文明一定不是要刻意做给别人看的一件事情。它首先应该成为使自己愉快并且自然而然的一件事情。正如那位带着全家人旅行的父亲，他不那么做，就没法儿"心安理得"。正如我们的翻译，不那么做就"心里很别扭"。

中国也大，人口也多，百分之八九十的人口，其实还没达到物质方面的小康生活水平。腐败、官僚主义、失业率高、日愈严重的贫富不均，这些负面的社会现象，决定了我们中国人的文明，只能从底线上来培养。

所以，我们不能对于我们的同胞在文明方面有太脱离实际的要求。无论我们的动机多么良好，我们的期待都应搁置在文明底线上。而即使在文明的底线上，我们中国人一定要改变一下自己的方面也是很多的。比如袖手围观溺水者的挣扎，其乐无穷，这是我们的某些同胞一向并不心里"别扭"的事，我们要想法子使他们以后觉得仅仅围观而毫无营救之念是"心里很别扭"的事。比如随地吐痰，当街对骂，从前并不想到旁边有孩子，以后人人应该想到的。比如中国之社会财富的分配不公，难道是天经地义的吗？我们听到了太多太多堂而皇之天经地义的理论。当并不真的是天经地义的事被说成仿佛真的是天经地义的事时，上公共汽车时也就少有谦让现象，随地吐痰也就往往是一件极痛快的事了。

　　中国不能回避一个关于所谓文明的深层问题，那就是——文明概念在高准则方面林林总总的"心安理得"，怎样抵消了人们寄托于文明底线方面的良好愿望？

　　我们几乎天天离不开肥皂，但肥皂反而是我们说得最少的一个词；"文明"这个词我们已说得太多，乃因为它还没成为我们生活内容里自然而然的事情。

　　这需要中国有许多父亲，像那位法国父亲一样自然而然地身体力行……

百年文化的表情

千年之交，回眸凝睇，看中国百余年文化云涌星驰，时有新思想的闪电，撕裂旧意识的阴霾；亦有文人之呐喊，儒士之捐躯；有诗作檄文；有歌成战鼓；有鲁迅勇猛所掷的投枪；有闻一多喋血点燃的《红烛》；有《新青年》上下求索强国之道；有"新文化运动"势不两立的摧枯拉朽……

俱往矣！

历史的尘埃落定，前人的身影已远，在时代递进的褶皱里，百余年文化积淀下了怎样的质量？又向我们呈现着怎样的"表情"？

弱国文化的"表情"，怎能不是愁郁的？怎能不是悲怆的？怎能不是凄楚的？

弱国文人的文化姿态，怎能不迷惘？怎能不《彷徨》？怎能不以其卓越的清醒，而求难得之"糊涂"？怎能不以习惯了的温声细语，而拼作斗士般的厉声长啸？

当忧国之心屡遭挫创，当同类的头被砍太多，文人的遁隐，也就是自然而然的了。

倘我们的目光透过百年，向历史的更深远处回望过去，那么遁隐的选择，几乎也是中国古代文人的"时尚"了。

那么我们就不能不谈《聊斋志异》了。蒲松龄作古已近三百年；《聊斋志异》刊行于世二百三十余年。之所以要越过百年先论此书，实在因为它是我最喜欢的文言名著之一。也因近百年中国文化的扉页上，分明染着蒲松龄那个朝代的种种混杂气息。

蒲公笔下的花精狐魅，鬼女仙姬，几乎皆我少年时梦中所恋。

《聊斋志异》是出世的。

蒲松龄的出世是由于文人对自己身处当世的嫌恶。他对当世的嫌恶又源于他仕途的失意。倘他仕途顺遂，富贵命达，我们今人也许——就无《聊斋》可读了。

《聊斋》又是入世的，而且入得很深。

蒲松龄背对他所嫌恶的当世，用四百余篇小说，为自己营造了一个较适合他那一类文人之心灵得以归宿的"拟幻现世"。美而善的妖女们所爱者，几乎无一不是他那一类文人。自从他开始写《聊斋》，他几乎一生浸在他的精怪故事里，几乎一生都在与他笔下那些美而善的妖女眷爱着。

但毕竟，他背后便是他们嫌恶的当世，所以那当世的污浊，漫过他的肩头，淹向他的写案——故《聊斋》中除了那些男人们梦魂萦绕的花精狐魅，还有《促织》、《梦狼》、《席方平》中的当世丑类。

《聊斋》乃中国古代文化"表情"中亦冷亦温的"表情"。作者以冷漠对待他所处的当世，将温爱给予他笔下那些花狐鬼魅……

《水浒》乃中国百年文化前页最为激烈的"表情"。由于它的激烈，自然被朝廷所不容，被列为禁书。它虽产生于元末明初，所写虽是宋代的反民英雄，但其影响似乎在清末更大，预示着"山雨欲来风满楼"……

而《红楼梦》，撇开缠绵悱恻的爱情故事主线，读后确给人一种盛极而衰的挽亡感。

此外还有《儒林外史》、《官场现形记》、《二十年目睹之怪现状》、《老残游记》、《孽海花》——构成百年文化前页的谴责"表情"。

《金瓶梅》是中国百年文化前页中最难一言评定的一种"表情"。如果说它毕竟还有着反映当世现实的重要意义，那么其后所产生的不计其数的所谓"艳情小说"，散布于百年文化的前页中，给人，具体说给我一种文化在沦落中麻木媚笑的"表情"印象……

百年文化扉页的"表情"是极其严肃的。

那是中国近代史上一个政治思想家辈出的历史时期。在这扉页上最后一个伟大的名字是孙中山。这个名字虽然写在那扉页的最后一行，但比之前列的那些政治思想家们都值得纪念。因为他不仅思想，而且实践，而且几乎成功。

于是中国百年文化之"表情"，其后不仅保持着严肃，并在相当一个时期内是凝重的。

于是才会有"五四"，才会有"新文化运动"。

"新文化运动"是中国百年文化"表情"中相当激动相当振奋相当自信的一种"表情"。

作家鲁迅的"表情"个性最为突出。《狂人日记》振聋发聩；"彷徨"的精神苦闷跃然纸上；《阿Q正传》和《坟》，乃是长啸般的"呐喊"之后，冷眼所见的深刻……

"白话文"的主张，当然该算是"新文化运动"中的一个事件。倘我生逢那一时代，我也会为"白话文"推波助澜的。但我不大会是特别激烈的一分子，因为我也那么地欣赏文言文的魅力。

"国防文学"和"民族革命战争的大众文学"之争论，无疑是现代文学史上没有结论的话题。倘我生逢斯年，定大迷惘，不知该支持鲁迅，还是该追随"四条汉子"。

这大约是现代文学史上最没什么必要也没什么实际意义的争论吧？

"内耗"每每也发生在优秀的知识分子们之间。

但是于革命的文学、救国的文学、大众的文学而外，竟也确乎另有一批作家，孜孜于另一种文学，对大文化进行着另一种软性的影响——比如林语堂（他是我近年来开始喜欢的）、徐志摩、周作人、张爱玲……

他们的文学，仿佛中国现代文学"表情"中最超然的一种"表情"。

甚至，还可以算上朱自清。

我这一代人，具体说我，从前每以困惑不解的眼光看他们的文学。怎么在国家糟到那种地步的情况之下还会有心情写他们那一种闲情逸致的文学？

现在我终于有些明白——文学和文化，乃是有它们自己的"性情"的，当然也就会有它们自己自然而然的"表情"流露。表面看起来，作家和文化人，似乎是文学和文化的"主人"，或曰"上帝"。其实，规律的真相也许恰恰相反。也许——作家们和文化人们，只不过是文学和文化的"打工仔"。只不过有的是"临时工"，有的是"合同工"，有的是——'终生聘用'者。文学和文化的"天性"中，原有愉悦人心，仅供赏析消遣的一面，而且，是特别"本色"的一面。倘有一方平安，文学和文化的"天性"便在那里施展。

这么一想，也就不难理解林语堂在他们所处的那个时代与鲁迅相反的超然了；也就不会非得将徐志摩清脆流利的诗与柔石《为奴隶的母亲》对立起来看而对徐氏不屑了；也就不必非在朱自清和闻一多之间确定哪一个更有资格入史了。当然，闻一多和他的《红烛》更令我感动，更令我肃然。

历史消弭着时代烟霭，剩下的仅是能够剩下的小说、诗、散文、随笔——都将聚拢在文学和文化的总"表情"中……

繁荣在延安的文学和文化，是中国有史以来，气息最特别的文学和文化，也是百年文化"表情"中最纯真烂熳的"表情"——因为它当时和一个最新最新的大理想连在一起。它的天真烂漫是百年内前所未有的。说它天真，是由于它目的单一；说它烂漫，是由于它充满乐观……

建国后，前十七年的文学和文化"表情"是"好孩子"式的。偶有"调皮相"，但一遭眼色，顿时中规中矩。

"文革"中的文学和文化"表情"是面具式的，是百年文化中最做作最无真诚可言最令人讨厌的一种"表情"。

"新时期文学"的"表情"是格外深沉的。那是一种真深沉。它在深沉中思考国家，还没开始自觉地思考关于自己的种种问题……

80年代后期的文学和文化"表情"是躁动的，因为中国处在躁动的阶段……

90年代前五年的文化"表情"是"问题少年"式的。它的"表情"意味着——"你"有千条妙计，"我"有一定之规……

90年代后五年的文化"表情"是一种"自我放纵"乐在其中的"表情"。"问题少年"已成独立性很强的"青年"。它不再信崇什么。它越来越不甘被拘束。它渴望在"自我放纵"中走自己的路。这一种"自我放纵"有急功近利的"表情"特点。也每有急赤白脸的"表情"特点，还似乎越来越玩世不恭……

据我想来，在以后的三五年中，中国当代文学和文化，将会在"自我放纵"的过程中渐渐"性情"稳定。归根结底，当代人不愿长期地接受喧嚣浮躁的文学和文化局面。

归根结底，文学和文化的主流品质，要由一定数量一定质量的创作来默默支撑，而非靠一阵阵的热闹及其他……

情形好比是这样的——百年文化如一支巨大的"礼花"，它由于受潮气所侵而不能至空一喷，射出满天灿烂，花团似锦；但其断断续续喷出的光彩，毕竟辉辉烁烁照亮过历史，炫耀过我们今人的眼目。而我们今人是这"礼花"最后的"内容"……

我们的努力喷射恰处历史的千年之交。

当文学和文化已经接近自由的境况，相对自由了的文学和文化还会奉献什么？又该是怎样的一种"表情"？什么是我们自己该对自己要求的质量？

新千年中的新百年，正期待回答……

中国档案制度质疑

事实上，每一个中国人都有两份户口。一份证明身份；一份记载个人历史。那第二份"户口"，即每一个中国人的档案。它从我们的中学时代起即开始由别人为我们"建立"了。以后将伴随我们的一生。两份户口都与中国人的人生有着极为密切的关系。二十余年前，户口简直可以说驾驭着我们的一生。

第一份户口就不多说了。当年对一个城市人最严厉的处罚，便是注销户口。这种处罚每与刑律同时执行。现在不这样了，乃是法律的进步。现在某些城市，已开始松动户口限制，乃是时代的进步。

这里谈谈我对中国人的另一份"户口"的看法。

倘谁的档案中，被以组织（比如团支部、团委、党支部、党委）的名义，或单位或单位领导个人的名义塞入一份材料，对其一贯的或某一时期的工作表现、生活作风、道德品质以及政治言行等方面做歪曲的、甚而带有恶意的某种所谓"结论"，更甚而编造了情节，而其人始终蒙在鼓里，全然不知……

倘此类事发生在从前，即"文革"结束以前，恐怕是没有哪一个中国人会觉得惊讶的。我们从前的中国人，对这种现象已是见惯不怪。从前中国人档案里的种种材料，因为代表着组织、单位或领导，其真实性简直是丝毫不容怀疑的。一言以蔽之，不真实也真实。"文革"中对许多人搞"逼供信"，每以档案中的材料为证据……

复旦大学有一位老师，与徐景贤开过几次会，且曾"有幸"同室。徐怕鬼，却又爱听鬼故事。偏那位老师擅讲鬼故事，在徐的央求下，讲了几则给徐听，"文革"中就成了审查对象。审得他稀里糊涂。后来终于明白，档案中多了一份材料，上写着"对领导怀有不良心理"。"领导"怕鬼，还讲鬼故事给领导听，当然是"怀有不良心理"了。再后来经暗示方恍然大悟，于是从实招来，结果因而被定为"坏人"。再再后来被下放农村改造，贫下中农以为他惯耍流氓，一点儿好颜色也没给过他……

我们原儿影厂的一位老大姐，年轻时档案里被塞入半页纸，其中仅一行字——"常与华侨出双入对，勾勾搭搭"。

就那么半页纸，就那么一行字，无章，无署名，无日期。然而对她的人生产生了匪夷所思的作用。看过她档案的领导皆以为她"作风不正派"。后来人们才搞清楚，其实她仅"经常"与一位华侨"出双入对"，而且那华侨也是女性，而且是她母亲……

电影界的一位老同志去世，我为其写小传，接触到其档案（已故之人的档案就不那么保密了），内中一封信使我大为奇怪——那不过是她年轻时写给她亲兄的一封亲情信，纸页已变黄变脆。只因其兄当年是香港商人，那信竟成了"政治嫌疑"的证据入了她的档案……

但，倘诸如此类的事发生在"文革"后呢？暴露于今天呢？

人们也许就不太相信了。

然而这是真的，并且就发生在我身上。

有一份材料于1990年4月被塞入我的档案十二年之久，我在不久前因工作调动才得知。白纸黑字清清楚楚地打印着"本人完全认可"。不但"认可"，还"完全"。而十二年间，从无任何人在任何情况之下向我核实过。其上打印着我的名字，代表我的签字。也打印着当时儿影厂厂长的名字，代表领导签字。而那位厂长和我一样，十二年来全然不知此事，并且盖着单位的章。但除一位当年主管人事的副厂长已故，一切任过儿影厂厂级领导的人皆全然不知。现已查明，是一份冒用单位名义及厂长名义的材料，是一份严重违背人事纪律和原则的材料。甚而，可以认为是一件违法的事。

这一份材料，怎样的不实事求是，有着什么歪曲之处、什么无中生有之处，也就不必细说了。仅说一点——我的做人原则，我自幼所受的家庭教诲，我成长的文化背景，决定了我在某些时候，是一定会采取担当责任的态度和做法的。何况，我当时在厂里的职务角色也决定了，我不能眼见群众陷于互相揭发的局面。由我担当，比之无人担当，无论当时或现在看来，非是不良企图。然而那材料却连这一点也干脆歪曲了……

不必说此事使我当年的所有厂级领导们多么震惊，多么生气……

不必说显然地，当年领导班子内部的一些矛盾，怎样成了导致那样一份材料被制造为一种"事实"的诸种因素……

不必说此后某些事体现在我身上我也曾觉困惑……

倒是想说，我也给不少人做过所谓"政治结论"，且至今都在他们的档案里。那是"文革"时期，我下乡前，以班级"勤务员"资格，与军宣队一道，给我们全班五十几名同学作过"文革"表现之鉴定。算上我两名学生，一名军宣队员，还有一位是校"革委会"成员的老师。那样的一份鉴定，对我的全班同学们后来十年的人生道路意味着什么不言而喻。我没有利用我当时的"特权"以报私"仇"。恰恰几名曾欺负过我的同学，将可能因某些莫须有的言行被列入政治另册。我为了避免这样的结果，在他们到外地打小工的时候，替他们多方取证，使他们未被列入另册……

正是由于我那样做了，老师和军宣队员，才在我的档案中写下了"责人宽，克己严"一条。

由此我想到，在将来，我们目前的档案制度，是要改变改变为好的。起码，自己的档案里记载了些什么，在什么情况之下由谁们记载的，自己应是有权一清二楚的。并且，有权想什么时候看一下就看一下，想提出质疑就可以提出质疑，可以要求重新调查了解。当然，如果某人被列为对国家安全构成危险的分子，另当别论。

为什么现在就不能改变改变呢？

因为现在，我这种年龄以上的许许多多中国人的档案中，古古怪怪的记载仍在其中，而自己仍不知。不知倒也好，如果都知道了，该怎么想，怎么说呢？历史的痕迹，莫如就那样保持原状。

我希望那么一天早一些到来——一切的中国人，看自己的档案，随时了解自己的档案之中记载了些什么，像到图书馆借一本工具书一样，成为一种最一般的权利。

而这一天的到来，肯定标志着中国的进步达到了更高的层面……

纸篓该由谁来倒

一只纸篓——在教室门口，也在讲台边上，满的。我在讲台上稍一侧身，就会看见它。它一直在那儿，也应该就在那儿。

通常总是满的。插着吸管的饮料盒，抑或瓶子，还有诸种零食袋、面包纸、团状的废纸，往往使它像一座异峰突起的山头。

教室门口没有一只纸篓如同家门口连一双拖鞋都没有，是不周到的；教室门口有一只满得不能再满的纸篓如同家门口有一双脏得不能再脏的拖鞋，是使人感觉上很不舒服的。

我每次走入教室心里总是寻思，我想，似乎有必要对它满到那般程度作出反应。或言，或行。

"哪位同学去把纸篓倒一下啊？"

此言也。我确信只要我这么说了，立刻会有人去做。

自己默默去倒空纸篓。

此行也。有点儿以身作则的意思。

我想行比言更可取。于是我"作则"了两次，第三次还打算那么去做的，有一名同学替我去做了。

他回到教室后对我说："老师，有校工应该做这件事，下次告诉她就行。"

将纸篓倒空，来回一分钟几十步路的事。教学楼外就有垃圾桶。女校工我认识，每见她很勤劳地打扫卫生，挺有责任感的。而且，我们相互尊敬，关系友好。我的课时排在上午三四节。而她一早肯定已将所有教室里的纸篓全都倒空过，是上一二节课的学生使纸篓又满了。无论是我去告诉她，还是某一名同学去告诉她，她都必会前来做她分内的事。但我又想，她可能会认为那是对她工作的一种变相的批评。使一个本已敬业的人觉得别人对自己的工作尚有意见，这我不忍。

　　我反问："有那种必要吗？"

　　立刻有同学回答："有。"——见我洗耳恭听，又说："如果我们总是替她做，她自己的工作责任心不是会慢慢松懈了吗？"

　　我不得不暗自承认，这话是有一定的思想方法性质的道理的，尽管不那么符合我的思想方法。

　　我又反问："是不是有一条纪律规定，不允许带着吃的东西进入教室啊？"

　　答曰："有。但那一只纸篓摆在那儿不是就成了多余之物，失去实际的意义了吗？"

　　于是第三种看法产生了："其实那一条纪律也应该改变一下，改成允许带着吃的东西进入教室，但不允许在老师开始讲课的时候还继续吃。"

　　"对，这样的纪律更人性化，对学生具有体恤心。"

　　于是，话题引申开来了。显然已经转到对学校纪律的质疑方面了。内容一变，性质亦变。

　　我说："那不可能。大约任何一所大学的纪律，都不会明文规定那一种允许。"

　　辩曰："理解。那么就只明文规定不允许在老师讲课的时候吃东西。将允许带着吃的东西在课前吃的意思，暗含其中。"

我不禁笑了："这不就等于是一条故意留下空子可钻的纪律了吗？"

辩曰："老师，如果不是因为课业太多太杂，课时排得太满，谁愿意匆匆带点儿吃的东西就来上课呢？"

于是，话题又进一步引申开来了。内容又变了，性质亦变了。而且，似乎变得具有超乎寻常的严肃性，甚至是企图颠覆什么的意味儿了。

当然，我和学生们关于一只纸篓的谈话，只不过是课前的闲聊而已。

但那一只纸篓以后却不再是满的了，我至今不知是谁每次课前都去把它倒空了。

因此我想，世上之事，原本是"横看成岭侧成峰，远近高低各不同"的。这乃是世事的本体，或曰总象。缺少了这一种或那一种看法，就是不全面的看法。有时表面上看法特别一致，然而不同的看法仍必然存在。有时某些人所要表达的仅仅是看法而已，并不实际上真要反对什么，坚持什么。更多的时候，不少人会放弃自己的看法。默认大多数人的任何一种看法，丝毫也没有放弃的不快。只要那件事并不关乎什么重大原则和立场——比如一只纸篓究竟该由谁去把它倒空。这样的事在我们的生活中比比皆是，每一个人都可以随自己的意愿选择一种做法。只要心平气和地倾听，我们还会听到不少对我们自己的思想方法大有裨益的观点。那些观点与我们自己一贯对世事的看法也许对立，却正可教育我们——一个和谐的社会，首先应是一个包容对世事的多元看法的社会。不包容，则遑论多元？不多元，则遑论和谐？

在我所亲历的从前的那些时代，即使是纸篓该由谁来倒空这样一件事，即使不是在大学里，而是在中小学里，也是几乎只允许一种看法存在的。可想而知，那是一种被确定为唯一正确的看法。另外的诸种看法，要么不正确，要么错误，要么极其错误，要么简直是异端邪说，必须遭到严厉批判。比如竟从纸篓该由谁倒的问题，居然引申到希望改变一条大学纪律，并且因而抱怨学业压力的言论，即是。久而久之，人们的思想方法被普遍同化了，也普遍趋于简单化了。仿佛都渐渐地习惯于束缚在这样的一种思维定式中，即人对世事的看法只能有一种是正确的，或接近正确的。与之相反，便是不正确的，甚或极其错误的。如此一来，不但不符合世事的总象，也将另外诸种同样正确的看法，划到"唯一正确"的对立面去了。其实，人对世事的看法，不但确乎有五花八门的错误，连正确也是多种多样的。正因为有对世事的五花八门的错误看法存在，才有对世事的多种多样的正确看法形成。世人对世事所公认的那一种正确的看法，历来都是诸种正确的看法的综合。这个世界上从来没有谁能够独自对某件事——哪怕是一件世人无不亲历之事，比如爱情吧——有过完全正确的看法。

看自行车的女人

　　想为那个看自行车的女人写篇文字的念头，已萌生在我心里很久了。事实上我也一直觉得还会见到她，如果那样，我就不写她了。却再也没见到。北京太大，存自行车的地方太多，她也许又到别处看自行车去了。或者，又受到什么欺辱，憋屈无人可诉，便回家乡去了？总之我再没见过她……

　　而我第一次见到她，是在北京一家牙科医院前边的人行道上：一个胖女人企图夺她装钱的书包，书包的带子已从她肩头滑落，搭垂在她手臂上。她双手将书包紧紧搂于胸前，以带着哭腔的声音叫嚷着："你不能这样啊，你不能这样啊，我每天挣点儿钱多不容易啊……"

　　那绿色的帆布书包，看上去是新的。我想，她大约是为了她在北京找到的这一份看自行车的工作才买的。从前的年代，小学生们都背着那样的书包上学。现在，城市里的小学生早已不背那样的书包了，偶尔可见摆地摊的街头小贩还卖那样的书包，一种赖在大城市消费链上的便宜货。看自行车的女人四十余岁，身材瘦小，脸色灰黄。她穿着一套旧迷彩服，居然还戴着一顶也是迷彩的单帽，而足下是一双带扣襻儿的旧布鞋，没穿袜子，脚面晒得很黑。那一套迷彩服，连那一顶帽子，当然都非正规军装。地摊上也有卖的，十元钱可以都买下来。总之，她那么一种穿戴，使她的模样看去不伦不类，怪怪的。单帽的帽舌卡得太低，压住了她的双眉。帽舌下，那两只眼睛，呈现着莫大而又无助的惊恐。

我从围观者的议论中听明白了两个女人纠缠不休的原因：那人高马大的胖女人存上自行车离开时，忘了拿放在自行车筐里的手拎袋，匆匆地从医院里跑回来找，却不见了，丢了。她认为看自行车的外地女人应该负责任，甚至，怀疑是被看自行车的外地女人藏匿了起来。

"我包里有三百元钱，还有手机，你丫挺的敢说你没看见！难道我讹你不成？！……"

胖女人理直气壮。

看自行车的女人可怜巴巴地说："我确实就没看见嘛！我看的是自行车，你丢了包儿也不能全怪我……你还兴许丢别处了呢……"

"你再这样说我抽你！"——胖女人一用力，终于将看自行车的女人那书包夺了去，紧接着将一只手伸入包里去掏，却只不过掏出了一把零钱。一排自行车五六十辆而已，一辆收费两毛钱，那书包里钱再怎么多，也多不过十几元啊。

当的一声，一只小铁瓷碗抛在看自行车的女人脚旁，抢夺者骑上自己的自行车，带着装有十几元零钱的别人的书包，扬长而去。我想，那与其说是经济的补偿，毋宁说更是一种平衡心理的行为。我居京二十余年，第一次听一个北京的中年妇女口中说出"丫挺"二字。我至今对那二字的意思也不甚了了，但一直觉得，无论男女，无论年龄，口中一出此二字，其形其状，顿近痞邪。

看自行车的女人，追了几步，回头看着一排自行车，情知不能去追，也情知是追不上的，她慢慢走回原地，捡起自己的小铁瓷碗，瞧着发愣。忽然，头往身旁的大树上一抵，呜呜哭了。那单帽的帽舌，压折在她的额和树干之间……

我第二次见到她，是在北京的一家书店门外。那家书店前一天在晚报上登了消息，说第二天有一批处理价的书卖。我的手，和一只女人的黑黑瘦瘦的手，不期然地伸向了同一本书——《英汉对照词典》。我一抬头，认出了对方正是那个看自行车的女人，不由得将伸出的手缩了回来。我家小阿姨莲花嘱我替她捎买一本那样的书，不知那看自行车的女人替什么人买？看自行车的女人那天没再穿那套使她的样子不伦不类的迷彩服，也没戴迷彩单帽，而穿了一身洗得干干净净的蓝布衫裤。我的手刚一缩回，她赶紧将那一本书拿在手中，急问卖书人多少钱。人家说二十元，她又问十五元行不行。人家说一本新的要卖四十元呢！你买不买？不买干脆放下，别人还买呢！看自行车的女人就用一种特别无奈的目光望向了我，她的手却仍不放那词典。我默默转身走了。

　　我听到她在背后央求地说：“卖给我吧，卖给我吧，我真的就剩十五元钱了！你看，十五元六角，兜里一分钱也没有了！我不骗你，你看，我还从你们这儿买了另外几本书哪……”

　　又听卖书的人好像不情愿似的：“行行行，别啰唆了，十五元六角拿去吧！”

　　后来，那女人又在一家商场门前看自行车了。一次，我去那家商场买蒸锅，大小没有合适的，带着的一百元钱也就没破开。取自行车时，我没想到看自行车的人会是她，歉意地说：“忘带存车的零钱了，一百元你能找得开吗？”我那么说时表情挺不自然，以为她会朝不好的方面猜度我。因为一个人从商场出来，居然说自己兜里连几角零钱都没有，不大可信的。她望着我愣了愣，似乎要回忆起在哪儿见过我，又似乎仅仅是由于我的话而发愣。也不知她是否回忆起了什么，总之她一笑，很不好意思地说：“那就不用给钱了，走吧走吧！”——她当时那笑，给我留下很深的印象。我们许多人，不是已被猜度惯了吗？偶尔有一次竟不被明明有理由猜度我们的人猜度，于我们自己反倒是很稀奇之事了。每每地，竟至于感激起来。我当时的心情就是那样。应该不好意思的是我，她倒那么地不好意思。仅凭此点，以我的经验判断，在牙科医院前的人行道上发生的那件事中，这外地的看自行车的女人，她毫无疑问是被欺负了……这世界上有多少事的真相，在众目睽睽的情况之下被掩盖甚至被颠倒了啊！这么一想，我不禁替她不平……

　　我第二次去那家商场买到了我要买的那种大小的蒸锅，付存车费时我说："上次欠你两毛钱，这次付给你。"我之所以如此主动，并非想要证明自己是一个多么诚信的人。我当时丝毫也没有这样的意识。倒是相反，认为她肯定记着我欠她两毛钱存车费的事，若由她提醒我，我会尴尬的。不料她又像上次那样愣了一愣。分明地，她既不记得我曾欠她两毛钱存车费的事了，也不记得我和她曾想买下同一本词典的事了。可也是，这地方每天有一二百人存取自行车，她怎么会偏偏记得我呢？对于那个外地的看自行车的女人，这显然是一份比牙科医院门前收入多的工作。我看出她脸上有种心满意足的表情。那套迷彩服和那顶迷彩单帽，仿佛是她看自行车时的工作装，照例穿戴着。依然赤脚穿着那双旧布鞋，依然用一只绿色的帆布小书包装存车费。

　　"不用啊，不用啊，"她又不好意思起来，硬塞还给了我两毛钱。我觉得，她特别希望给在这里存自行车的人一种良好的印象。我将装蒸锅的纸箱夹在车后座上，忍不住问了她一句："你哪儿人？"

　　"河南。"她的脸，竟微微红了一下；我于是想到了那是为什么，便说："我家小阿姨也是河南人。"

　　她默默地，有些不知说什么好地笑着。

　　"来北京多久了？"

　　"还不到半年。"

"家乡的日子怎么样呢？"

"不容易过啊……再加上我儿子又上了大学……"

她将大学两个字说出特别强调的意味，顿时一脸自豪。

"唔？在一所什么大学？"

她说出了一座我陌生的河南城市的名字。我知道近年某些省份的地区级城市的师范类专科学院，也有改挂大学校牌的，就没再问什么。

我推自行车下人行道时，觉后轮很轻。回头一看，见她的一只手替我提着后轮呢。骑上自行车刚蹬了几下，纸箱掉了。那看自行车的女人跑了过来，从书包里掏出一截塑料绳……

北京下第一场雪后的一天晚上，北影一位退了休的老同志给我打电话，让我替他写一封表扬信寄给报社。他要表扬的，就是那个看自行车的河南女人。他说他到那家商场去取照片，遇到熟人聊了一会儿，竟没骑自行车走回了家，拎兜也忘在自行车筐里了……

"拎兜里有几百元钱，钱倒不是我太在乎的，我一共洗了三百多张老照片啊！干了一辈子摄影，那些老照片可都是我的宝呀！吃完晚饭天黑了我才想起来，急急忙忙打的去存车那地方，你猜怎么着？就剩我那一辆自行车了！人家看自行车那女人，冷得受不了，站在商店门里，隔着门玻璃，还在看着我那辆旧自行车哪！而且，替我将我的拎兜保管在她的书包里。人心不可以没有了感动呀，是不是？人对人也不可以不知感激，是不是……"

北影退了休的摄影师在电话里恳言切切。

我满口应承照办，然而过后事一多，所诺之事竟彻底忘了。

不久前我又去那家商场买东西，见看自行车的人已经换了，是一个外地的男人了。

我问原先那个看自行车的女人呢？

他说走了。

我问她为什么走了呢？

他说，还能为什么呢？那就是她不称职呗！我们外地人在北京挣这一份工作，那也是要凭竞争能力的！

我心黯然，替那看自行车的女人。并且，也有几分替她那在一所默默无闻的大学里读书的儿子……

我想问她到哪里去了？张张嘴，却什么也没有再问。

我不知她从农村来到城市，除了看自行车，还能干什么？如果她仍在北京的别处，或别的城市里做一个看自行车的人，我祈祝她永远也不会再碰到什么欺负她的人，比如那个抢夺了她书包的胖女人。

阳光底下，农村人，城市人，应该是平等的。弱者有时对这平等反倒显得诚惶诚恐似的，不是他们不配，而是因为这起码的平等往往太少，太少……

关于"事实"的杂感

古今中外,"事实"二字,与人类的关系颇为紧密。以小言之,肯定每一个人都会经常面临"事实"二字;以大言之,每一个利益集团,每一个民族,每一个国家,也都会经常面临"事实"二字。一个人也罢,一个国家也罢,一旦面临"事实"二字,那就意味着面临严肃甚至严峻的问题了。而对待"事实"的态度,证明着一个人的品格如何,也证明着一个国家的形象怎样。

故汉语言中有一名词曰"实事求是",毛主席当年曾亲笔书写过这四个字,至今这四个大字,仍是人们在各级党政机关会经常见到的,并且必然会镶在庄重的框子里。

"实事"与"事实"是一个意思,都是指一事发生,便有真相。而所谓"真相",乃指实际之情况。西方曾有一派什么哲学,认为"事实"只不过是一种主观印象,主观结论;既掺杂了主观,便不复是纯粹的客观。客观既难以纯粹,那么人所言之"事实",其实多少已不是事实。故这一派哲学认为,所谓"事实"是并不存在的。

此一派哲学的观点,有一定的逻辑学道理。但逻辑学本身是有区分的,比如辩证逻辑学、实用逻辑学、常规逻辑学……还有,庸俗逻辑学。庸俗逻辑学自然是贬义的逻辑学。搞逻辑学的人,倘被视为庸俗逻辑学者，肯定没有不愤慨的。庸俗逻辑学是指这样一种思维方式——如果某人有敌人，那么敌人的敌人一定可以成为某人的朋友，而敌人的朋友自然也必是某人的敌人。反之，某人的另一敌人必定迟早会成为敌人的朋友；而某人的朋友若与敌人有往来，不论是怎样的往来，则必定等于是对某人的背叛，因而是比敌人更危险的敌人。

这样的逻辑，显然愚蠢可笑到极点。因为完全忽略了人与人、民族与民族、国家与国家的别种关系之可能性。比如化敌为友的可能性；比如争取敌人的朋友之理解，进而也与敌人的朋友达成良好关系，进而发展为朋友的可能性；比如尽量不使敌人与敌人结成联盟的可能性；比如通过与敌人有往来的朋友，逐渐消弭与敌人之间的敌对心理的可能性……

"美曰美，不一毫虚美；过曰过，不一毫讳过。"

这是海瑞的话。

我们今人大抵知道的，海瑞是明代清官。"清正廉明"四字中，那个"正"字，意指正直、正派也。一位正直的官员，他就应该具有实事求是之品格。一个正直的人，也应该那样。否则，即使其他方面无可置疑，终究还是谈不上有多么正派的。正直之"直"，针对的是曲意逢迎的"曲"。人的品格若"曲"，他对"事实"之态度之立场就暧昧背反了。而这样的人多了，"事实"必然便被遮蔽了，并且每被涂上种种极为任意的色彩。

"不一毫虚美"，"不一毫讳过"之"一毫"，形容而已，是根本无法用尺加以度量的。海瑞的话，其实更是一种对人对事的思想，亦即实事求是的思想。秉持这种思想的人多了，多数人之主观看法，毕竟可以最大程度的接近客观事实。一事发生，一些人卷入，另外的人们，每习惯于以最严峻的态度来下结论，曰"阶级斗争"，曰"路线斗争"，曰"反党"，一言以蔽之，曰"上纲上线"。于是，即使在中国共产党内部，在从前，相互踏倒的现象，也往往进行得冷酷无情，令后人不寒而栗。作为教训，今天的中国共产党分明是吸取了的。但仅仅吸取了教训还不够，还应以更加实事求是之勇气，继续纠正某些与事实大有出入的人事错案。

一种规律特别值得认真思考，即——事虽已成史，人虽已死去，但活着的人们，一代又一代的，一些又一些的，却总在研究资料，总在对早已成为所谓"定论"的"事实"提出质疑。这样的一些人，有时是当事者的后人，他们提出质疑，再容易理解不过了。却也有一些人，与当事者其实没有任何瓜葛。故他们的质疑也每受到质疑。以我看来，他们之中大多数人的动机，其实非是政治的，而是文化的。

文化具有某些能动力，如凝聚力、解构力、教化力、美育力，等等。还有，便是修正力。文化总是力图修正那些不符合事实以及与事实有出入的事情。这是文化的本能，也可以说是文化的自觉，文化的责任。文化叩问事实的本能，如同植物有向阳的本能。说这也是一种自觉和责任，乃因人比植物高级。植物没有同情心，而人有。某些人不但同情那些被不符合事实或不完全符合事实的事所压迫并且活着的人，也同情那些死去了的人。因为后者不再能活转来替自己辩说，文化对他们的同情便也更执着。此种同情，体现着文化的良知和文化的温暖，也体现着人的良知和人性的温暖。是文化的宝贵品质，绝不是文化的恶习，更不是文化人的恶习。是应爱护而不是应禁止的。并且，终究也是禁止不了的。禁得了一时，禁不了永远。

一种事实乃是——普遍之人心与事实的关系，如同人心与美丑的关系。一个国家的现实之事与成史之事，越接近着事实，则人们对国家的信任度越高，亲和力越强。国人会以审美般的愉悦心情来看待自己的国家，于是油然而为自己的国家感到荣耀和自豪。并且，这种愉悦是超乎阶层与贫富的，是超乎物质的。一个国家的国人超乎物质的愉悦指数，乃是他们的幸福指数不可或缺的组成部分。

苏轼者，文人也。

曾曰："事有是非，义难隐讳。"

曾曰："事当论其是非，不当问其难易。"

有些事，相对于中国之国情，实难也。

但若关事实，便总得有人来做。真做了，结果其实未必多么可怕。倒是，必显示我们国家之大自信，大胸怀，大形象也……

世无大国

依我看来，迄今为止，这世上还并无一个大国出现。

这里所言之"大"，不唯指领土的广阔，不唯指人口的众多，也不唯指经济和军事力量多么了得，还指一个国家的品格怎样。

正如一个人，虽具有种种强的优势，却从不以强称霸，更不以强欺弱，才配视为是一个"大写的人"。反之，体貌大耳，德性低也，劣也。

一个"大写的人"，那也是难免会与别人发生矛盾的。这样的一个人，如果自己错了，是从不拒言"我道歉"的。

所谓"君子坦荡荡"。

是的，以我的眼看来，人类的历史上，至今还未出现一个具有此种国家品格的大国。

我们中国的领土倒是够大，人口居世界首位，但我们在经济和军事力量两方面都还不算强。

我记得中央电视台的节自主持人曾采访过一位美国的中国问题研究专家，女性。我们的节目主持人也是一位年轻的女性。

女主持人问："您对中国目前的世界地位有什么评价？"

美国的中国问题研究专家反问："你的意思是问中国是不是已经强

大了？”

女主持人点点头。

美国的中国问题研究专家微微一笑，答曰：“你们早就是大国了。”

她的反问和她的回答，耐人寻味，给我留下了极深的印象。

尤其是她嘴角的那一抹笑，使我的中国心被刺疼了一下。

在那美国的中国问题研究专家看来——中国也只不过就是大而已。

我们从来便大，但却从来也没真的强大过。早年的八国联军以区区数千人长驱直入地占领了一个有四亿五千万人口的国家的都城，说明大和强大是多么不同。后来的侵华日军又用“三光政策”再次向我们说明了大和强大的不同。

今日之中国，外汇储备虽已在世界上数一数二，但说到底，那是十三亿多同胞的大多数，以充当世界上很低廉的劳动力的方式换来的。被十三亿多这庞大的分母一除，分数值其实还是少得可怜的。何况我们远忧近虑多多，即使不再用成堆来形容，那也还可以用成筐来比喻。故我们虽大，却内虚。

所以温家宝总理每说：“现在还不是评功摆好的时候。”

所以中国在国际舞台上一向自谦地说：“我们仍是一个发展中的国家。”

正因为我们还算不上是一个真正强大了的国家，某些别国才敢于不时地挤兑我们，在国际关系中时不时给我们某种脸色看，甚至给我们小鞋穿。

我是相信我们中国一旦真正强大起来了，那也一定会是一个国际形象温良的通情达理的君子大国的。因为那是我们这个国家这个民族的理想。“和为贵”是我们这个民族的一种文化基因。我相信如果将来世上有又大又强并且不讳言“道歉”二字的国家的话，那么必是中国。

但依我看来，今日之中国，离自己的理想还远着呢。

那美国的中国问题研究专家的话，以及她那一抹笑，之所以使我的心感到被刺疼了一下，不仅因为她的尖刻，也还因为我们某些中国人自己的妄昧——他们分明觉得，我们中国已然真的又大又强了。故一旦居位，说话办事，便总是会尽量做足大而且强的架势。那种财大气粗铺张浪费，每令了解国情底细的中国人瞠目结舌，也每令对中国多少有点儿研究的外国人嘲颜一笑——就是那位美国的女的中国问题研究专家的那一抹笑……

那么美国是否便配是世界上的第一大国了呢？

虽然美国的领土并不最大，虽然美国的人口并不最多，但美国的综合国力尤其他的军事实力确乎是世界上最强的。

但遗憾的是，它也只不过是一个强国而已，国家品格上却是相当成问题的。"二战"以后，它干过不少蝇营狗苟的事情。向别国派特务，派间谍，派杀手；搞煽动，搞颠覆，搞军事恐吓——在我们这个世界上，它曾是搞那些摆不到台面上的事最多的国家。如果华盛顿、林肯、杰弗逊和罗斯福仍活着，是会替美国汗颜的。它却从没因为做过以上那些丑事向任何受其危害的国家道过歉。比如它多次派特务刺杀古巴领导人卡斯特罗的行径就是令人嫌恶的。为了刺杀成功，居然跟意大利黑手党勾勾搭搭，实在是太有损美国的国格的。在这些令人不齿的方面它今天倒是改了不少；但动辄摆出全世界军事大佬的威风对别国进行武力压迫，依然是它的惯伎。美国近年发动了一次又一次的国际战争；姑且不论那些战争的对错，死在美国狂轰滥炸之下的别国的平民百姓，却从不曾听到过代表美国的内疚之声。亏它还是一个自诩信仰基督精神的国家！

而美国从不曾因自己的罪过说过"美国道歉……"

它在国际谴责声浪中经常说的话仅仅是——"遗憾"而已。

对于美国来说，世界上的人是分等级的。美国人肯定是一等人，别国人是二等三等甚或低等人。这一种国家意识，其实和当年的日本、德国很相似。而另一个事实乃是——普通的美国人对别国平民百姓的看法，反而比其几届总统和政客们更人性化一些。

该道歉而不真诚地道歉的国家，综合势力再强，那也还是国家品格方面的"矮子"。

日本最是一个该道歉而不真诚道歉的国家。故所谓"大日本帝国"，今天在许多别国看来，仍只不过是"小日本"们的国，而且一直给世人以鬼里鬼气的感觉。

英国也曾对全世界号称"大英帝国"，而且自诩"日不落帝国"。从前的英国极其霸道，也曾是一个穷兵黩武的国家，像今天的美国一样，以全世界的"总舵把子"自居。但是现在，它除了亦步亦趋地紧傍美国。勾肩搭背，借势充当"二爷"，便再也找不到半点儿大国的感觉了。

傍别国的国，无论傍的名堂如何，总归是大不起来的。

有剑桥大学、牛津大学和伦敦大学的英国，有莎士比亚的英国，有乔叟的英国，有华兹华斯和狄更斯，有萧伯纳、夏洛蒂三姐妹和爱丽斯·默多克以及大英博物馆的英国，它本不该是现在这么没出息的……

叫人不知对它说什么好。

德国必将会是一个令全世界忘其前史刮目相看的国家。

它由于是"二战"的罪魁国而向全世界道歉了。

尽管世人对施罗德那具有戏剧性的一跪众说纷纭，但能以敏感的眼来看世界的人肯定都看到了，德国是从那一年起真正开始脱胎换骨的……

曾被视为"北极熊"的苏联四分五裂了，"俄国"却死而复生。

它再也不可能是"熊"。然北极除了白熊，还有另一种了不起的动物："北极犬"。北极犬具有令人肃然起敬的耐力，是北极的驼。依我看来，当今之俄罗斯，如同北极犬。

俄罗斯肯定会走出低谷的。

然一个现任总统号召青年为民族多生孩子的国家，证明它比曾作为"苏维埃共和国"主体的时候小多了……

19世纪以后的法国，似乎有几分人类理想国的模样的，不愧是人类近代思想文化"启蒙运动"的摇篮。孟德斯鸠、伏尔泰、狄德罗、卢梭、雨果们的灵魂，没有白白影响这个人类近代史上最早的"共和国"。然而它毕竟不够大亦不够强，故"二战"伊始，德军几乎易如反掌地占领了巴黎。证明一个国家仅靠思想和文化的骄人成果是挡不住法西斯的……

回望历史，国家的出现，业已悠悠五千余年。大国徒大，强国徒强，一个又大又强且在国内国际两方面都堪是楷模的国，确实还没出现。

倒是世界上的某些小国，反而在国家品格方面更令我这个中国人敬意由衷，比如比利时、丹麦、冰岛、卢森堡、挪威、瑞典、瑞士，等等。虽然它们都很小，但近代以来，都越发接近"君子国"。世界和谐，在小一方。

倘让我在当代的世界上选一位最受人民爱戴的国家元首，那么我将会毫不犹豫地为丹麦女王玛格丽特二世高举我的双手。

她曾是当代最年轻漂亮的女王，也是世界上最普通的女王，还是最穷的。

她的王宫是清水衙门，是丹麦节约水和电的模范"单位"。在王宫开支特别拮据的时期，女王翻译文学作品，以稿费补贴日常费用。她却从没要求政府增加过王宫的年金。因为她从不拿自己的生活水平和别国的君王或元首们比，而总是拿自己的生活水平和本国的普通百姓相比，她虽身为女王，从没将丹麦人叫做"子民"。谈到丹麦人，她一向发自内心地说"我的公民们"。

她多才多艺，是名副其实的翻译家、考古学家、刺绣家、服装设计师；还是桥牌高手和芭蕾舞爱好者。

她敬业乐业，认真从事"女王"这一工作——她自己的话。

每周三，她准时接见对国家有诉求的一切丹麦人，如同中国的一位有使命感的"人大代表"。

在1972年至1984年间，任何一名到丹麦去的外国旅人，如果预先见过女王的照片，那么都有可能在哥本哈根的某一条街上，认出从容不迫地骑着辆一般自行车的女王。那是她去上班，或者下班。倘自行车前筐里有西红柿、马铃薯，那么便是女王从集市上买菜回来。西红柿和马铃薯是女王所爱吃的……

她以女王身份参政议政的能力，连最激进的左翼人亦心悦诚服。

在丹麦，几乎没有人利用政治讲坛非议本国的君主立宪制度。没有"立宪"，只有王权，任何一个国家都不会产生那么"美好"的女王。

女王的人格魅力成为丹麦和谐社会不可或缺的元素。

如果柏拉图活到二十世纪七八十年代，他一定会高兴地说："看，那就是一个理想国。"

丹麦是安徒生的祖国。

玛格丽特实在是太具有童话色彩的女王。

也许，表面看来，这世界乃是由大国和强国来操控的。但在世界的深层规律中，小国们的状态才更具有进步的启示性……

给自己的头脑几分尊重

读过《安娜·卡列尼娜》这部名著的人，必记得开篇的两句话——"幸福的家庭是相似的，不幸的家庭各有各的不幸。"

这两句话，在中国也早已是名言了。最近我因授课要求，重新翻阅该书某些片段。掩卷沉思，开篇的这两句，仍是全书中最令我联想多多的话。

曾有学生问我——为什么这两句话会成为名言？我的回答是——首先，《安娜·卡列尼娜》成为了名著，这个前提很重要。学生又问——如果《三国演义》没有成为名著，"凡天下大事，分久必合，合久必分"就不成其为名言了吗？如果范仲淹的《岳阳楼记》没有成为名篇，"先天下之忧而忧，后天下之乐而乐"就不成其为名句了吗？

当然，还可以举出另外许多例子。名言名句不仅出现在小说、诗词、歌赋中，也出现在戏剧、电影电视中，甚至出现在法庭诉讼双方的答辩中，出现在演讲中的时候更是不胜枚举……

关于《安娜·卡列尼娜》这部小说，托尔斯泰曾写下过三十几段的开篇文字，最后才选择了"幸福的家庭是相似的，不幸的家庭各有各的不幸"两句话。据说，倘用俄语来朗读这两句话，会有诗一般的语韵。这大概也是俄国人特别认同托尔斯泰的原因吧。

我的回答究竟使我的学生满意了没有？进而使自己满意了没有？不

是这里非要交代清楚的。

我想强调的其实是这样一种思想——喜欢提问题的人一定是喜欢思考问题的人。人类倘不喜欢思考，我们至今还都是猴子。历史上有人骂项羽"沐猴而冠"，正是恨他遇事不动脑子好好想一想。

窃以为，错误的思想是相似的，正确的思想各有各的正确。

当然，正确和错误是相对的，姑妄言之而已。

这里所说"错误的思想"，确切地说，是指种种不良的、甚至邪恶的思想。比如以为损人利己天经地义，以为仗势欺人天经地义，以为不择手段达到沽名钓誉之目的天经地义，于是心安理得，皆属不良的邪恶的思想。是的，在我看来，这样的一些思想是相似的。它们的共同点乃是——夜半三更，扪心自问，有时候还是怕遭天谴的。谢天谢地，迄今为止，这样的一些思想从来不是大众思想的主流。比如"无毒不丈夫"一句话，你不能不承认它也是一种思想。然而真的循此思想行事的人，其实是很少很少的。何况此话原本似乎是"无度不丈夫"——如果如此，恰恰是提醒人要善于思考的话。

迄今为止，人类头脑中产生的大部分思想，指那类被我们大部分人所能接受的、认同的、以指导我们行为和行动的后果来判断，是对社会进步有益的——那样一些思想，它们不应只是少数人头脑中产生的思想，而应是我们大多数人，甚至每一个人头脑中都会产生的思想。

我们中国人依赖少数人的头脑为我们提供有益的思想——实在是依赖得太久太久了，而这几乎使我们自己头脑的思考能力变得有点儿退化了。

这意味着我们对于自己的头脑失去了尊重。

现在这个现象似乎也在全球化。有个美国学者写了一本书，叫《娱乐至死》，说的是大家都远离思考，都进入了娱乐状态，从生下来就开始娱乐，一直玩到死。他认为，人类的思想和文化并非窒息于专制，而是死于娱乐。这实在是非常智慧的警世之论。窃以为，不智慧的人是相似的，智慧的人各有各的智慧。

我们需要将我们每个人对于自己的头脑的尊重意识重新树立起来。

我们将会发现——正确的思想是人类思想的主流。正确的思想不但各有各的正确，而且也经常形成于我们自己的头脑之中。

给自己的头脑几分尊重——于是，我们不仅仅只是思想的被动接受者，也可以是思想的主动提供者。

给自己的头脑几分尊重——于是，我们明白了这样一个道理：别人的头脑里产生的别种的思想，只要不是邪恶的，也是必须予以尊重的。

给自己的头脑几分尊重——于是，我们明白这样一个道理：即使我们确信自己头脑里产生的思想是正确的，睿智的，即使别人也认同，那也只不过是关于世相，甚至是关于一件事情的许多种正确的、睿智的思想之一而已。

给自己的头脑几分尊重——不仅不会使我们因而变得狂妄自大，恰恰相反，将使我们变得更加谦逊和温良。因为我们的头脑里会产生出对我们的修养有要求的思想。

给自己的头脑几分尊重——将使我们在对待人生、事业、名利、时尚、爱情、亲情、友情等方面，不再一味只听前人和别人怎么阐释怎么宣讲，也有自己的独立的见解了。

我们难道不是都清楚这样一种关于世事的真相吗？——别人用别人的思想企图说服我们往往不是那么容易的，只有自己说服了自己，自己才是某种思想的信奉者。

这世界上没有不长叶子的根和茎。

我们的头脑乃是我们作为人的"根"，我们认识世界的愿望乃是我们作为人的"茎"。

我们既有"根"亦有"茎",我们为什么不让它长出思想的叶子来呢?

给自己的头脑几分尊重——我们因而发现,不但人类的社会,连整个世界都需要我们这样;我们因而感受到,不但人类的社会,连整个世界都少了某些荒诞性,多了几分合理性。

给自己的头脑几分尊重——我们因而发现,娱乐使我们同而不和,思考使我们和而不同。

给自己的头脑几分尊重——我们将会发现,思考的过程、产生思想的过程,是一个非常快乐的过程。这种快乐是其他快乐无从取代的。

给自己的头脑几分尊重——我们将因而活得更像一个人,更愉快,更自然……

仅仅谴责是不够的

一个仅仅三岁的男孩被他的亲父遗弃在一所"国立"医院里——因为那男孩患了白血病，而他的亲人们，首先是对他负有抚养之法律责任的父亲，再也没有经济能力为他提供医疗费用了。按照院方的说法，要维持那孩子的生命，每天至少需要三百元的医疗费。而要保住那孩子的生命，则必须进行骨髓移植。那又至少需要三十万元。

孩子的父亲是一个农民。我们都知道的——在中国，一户普通农民是决然承担不起那么高贵的医疗费的。除非那孩子有十个身强体健的亲人，每个亲人都甘愿为他每月卖一次血，那么十年以后，才能够攒足三十万元。但是，十年中每天三百多元的医疗费又从何而来呢？那得需要一个农家的孩子有多少甘愿为他轮番献血的亲人呢？

事实也确乎是，那当父亲的已然倾家荡产束手无策了。连负责寻找到他的调查人员，都不禁对着电视摄像机说："虽然他的做法是应该受到谴责的，但面对他家庭的实际情况，我却开始有些同情他了。"

见诸媒体的类似的事情，在中国已经发生不少了。有预见，以后还会渐多起来。

我认为——此类事情首先并不仅仅是什么亲情伦理性质的现象，而更是明明白白的社会问题，所以，仅仅作出亲情伦理方面的谴责是不够的。

电视台还在报道中采访了一位院方的代言人，一个表情严肃得接近严峻的男人。如果我没记错的话，似乎是一位团委书记。

他口中说出了这样的话："这算什么事？难道要通过这种方法来要挟社会吗？"

我极不赞成他的看法。

我真是忍不住要坦率说出我对他的话的看法，那就是——我很反感有人居然如此这般看待类似的事情。

明明只不过是一个父亲要救自己儿子的命却又凭自己的经济能力救不成了；明明是一种贫困现象；明明是一种需要全社会都来关注的社会问题，为什么非要把它说成是什么"要挟社会"的性质呢？

"要挟社会"——此言重矣！

这么看待事情，岂不是将社会问题属性的现象直接上升为政治问题属性的现象了吗？

"要挟社会"——这等于在说同类事情皆属对社会采取恐怖行径了啊！

幸而只不过是团委书记，若是职位很高的人，头脑中居然有这样的思想，那才更是对构建和谐社会有害无益的思想啊。

当然，我也绝不支持那位父亲的做法。

不是事情一经报道，不久便有善良的人们为其捐赠了三十余万吗？这再一次说明，在我们的社会中，尤其在民间，在千千万万普通民众中，互助的意识不但并没有完全丧失，而且有时作出的反应是那么的迅速，所体现的热忱是那么可贵，因而也动人。

我想——此事给一切遭遇不幸并且无力自救的人们的启示当是：倘若不知该求助于何方，那就赶快先求助于传媒吧！遗弃肯定不是理性的做法，更不是唯一选择。

而此事给予传媒的启示当是：传媒并不仅仅是客观之事的载体，

有时候还应该是而且简直必须是主观之事的载体。唯其主观，所以便更加能动。也就是说，传媒当是有人性之社会公器。否则传媒承担社会良知的义务就没有了自信自觉的前提。在中国，由传媒而替弱势群体的走投无路之境况不遗余力、义不容辞地大声疾呼，乃是传媒报道价值的最大意义之一，绝非最小意义。传媒做这样的事情，比特别主观地热忱饱满地为这个星那个星的知名度而不遗余力，而似乎义不容辞，意义要巨大得多。传媒担此义务方显可贵。在对于此事的报道中，我以为有关传媒已做得相当之好，并未一味仅加痛斥，所以那报道是较为人性化的报道。而唯有人性化的报道，才更有利于唤起民间的互助心肠。

此事给医院的启示当是：我前边提到这一所医院时，用了"国立"二字，乃是相对于"私立"而言的一种姑且的说法。我认为，学校、医院是特殊之单位，倘具有公共产业的性质，便也同时具有了"国立"之品格。而"国立"医院之品格当是什么呢？永远奉行人道主义为第一原则而已。而公众则以此原则来对国家精神进行理所当然的评估。大也罢，小也罢，省市一级的也罢，乡镇一级的也罢，凡属"国立"，皆与国家精神相联系耳。也就是说，倘一所私立医院面对伤病之人居然奉行金钱第一的原则，公众鄙视和诅咒的是它的经营者；而一所国立医院若也那样，大受其损的必是国家形象无疑。在此事中，院方的反应和表现是良好的，医护人员的反应和表现也是良好的。医院并没有因为一个患白血病的儿童显然被遗弃在医院里了，显然没有人替他负担医疗费了就根本不对他进行必要的医治。正因为这所"国立"医院在奉行人道主义为第一原则方面已做得相当周到，无可指责，社会公众的救助之心才体现得那么及时，那么踊跃。于是国家精神与公众意识达成了一次良好的呼应。而近年来，某些医院，虽属国立，其做法却每令公众瞠目结舌，除了愤慨，就再不可能被激发起另外的任何良好的思想感情，更别说行动了。那些医院的主管者遇到同类事情的第一反应和表现是——我这所医院怎么这么倒霉？没钱还想看病，世上哪有此理？人命宝贵是生病的人个人的事！医院若因收治了这等病人而亏损了一笔钱是我的责任！谁为我的责任负责任？由于他们的第一反应和表现完全背离医院的人道主义原则，那么他们除了将急需救治的病人抬出医院抛在什么地方了事，自然不可能再有任何一点儿善良的行动可言。据报载，去年年底发生医院通知殡仪馆将活人拉去火葬的恶劣事件，正是以上极端不人道的恶劣心理所导致的。这样的"国立"医院的如此这般的恶劣行径，将使公众对国家精神大为质疑。国家形象严重受损几成必然之事。而此无形之大损失，往往非是金钱所能弥补的。

此事给国家亦即政府的启示当是：任何一所医院，哪怕它的规模再大，都根本不可能一厢情愿地替国家一揽子承担起免费拯救弱势公民生命的大善事。中国有十三亿多人口，弱势群体数以亿计，一烛数烛之光，岂能照明百千人家？医疗保险虽为良策，但既已不幸沦为弱势，那笔保险费肯定是上不起的了。何况，遥见帆影之舟，哪里又救得活眼前沉波之人呢？民政部门来关爱么？我们都知道的——在中国，它只具有促进赈灾活动的职能，国家每年并未拨给它数目可观的救助款。中华慈善总会么？我们也知道的，它虽是有一笔苦心募集来的款项的，但相对于中国弱势群体的庞大基数，实在也是杯水车薪。何况，它的分支机构，也只不过设到了省一级，在许多省里，不过是徒有其名。

那么，就真的没有什么办法了么？

办法当然是有的。

而且只能由国家来决定那么做不那么做。即——鼓励有经济能力的公有的或私有的企业，按其总的应纳税额的一定比例，抽取百分之一至百分之五，成立公司或企业名下的慈善基金。这一笔基金当然应是免税的。千条江河归大海的局面，也就是说——慈善之心只能以捐款方式汇总到一处实行"计划经济"、"统购统销"的策略，早已被证明根本不适应弱势群体越来越看不起病求不起医的严峻情况了。慈善之事，乃全社会之事，为什么不欢迎全社会来做呢？

若以每年有经济能力拍定十万元慈善基金为例，全国该有多少这样的公司和企业？一万个总该有的吧？

当然，倘有人非这么想——10万×10000——这么大一笔钱怎么可以成为什么免税的慈善基金？！

那我自然也就没什么话好再说了。

至于顾虑有人打着慈善的幌子"合理合法"地避税逃税，我以为实在是因噎废食了。中国有能力管理那么多"中国特色"的复杂之事，难道还管理不了区区小事？责成各级民政部门监察名曰慈善基金是否每年用于慈善救助了，民政部的职能不是也被更切实地调动了吗？

还有两点乃是极具经验性的社会学真相，那就是——一方面，文明社会里文明的企业和有文明素养的企业家，它们和他们是愿意亲自来做被社会认为高尚的事情的。慈善事业即是。仅仅将它们和他们视为慈善捐款的大户，采取你出钱我收钱的简单办法，是有悖于企业人性化、人性高尚化的社会发展规律的。长此以往，此规律受到漠然对待，企业便不再真的向往人性化；人性便不再追求高尚化。和我一样愿意思考慈善问题的人们，请读读报吧——在某些大饭店里，198万元一桌的酒席业已预售一空，是不是很引人深省呢？而另一方面，以为只要传媒善作悲情报道，平民百姓之善良心肠是很容易随时被调动起来的——这一种认识观是完全错误的。不，社会的真相并非如此。慈善之事也绝不应该仅仅是平民百姓的事。百姓之人道精神需要国家之人道精神来引领。百姓之悲悯情怀需要国家之悲悯情怀来衬托。

问官，问法

先介绍一下马随意——陕西咸阳地区的农民，当过兵，在部队是名优秀的战士。复员二十余年来，在一条河上驾舟打鱼为生，先后救起过二三十名落水之人，且从不张扬，一向认为自己做的是理所应当的事。

再介绍一些官。些个绿豆粒大的官。包括镇长、书记在内的些个官。

马随意将他们告了——两级法院皆判马随意败诉。第二次宣判的是咸阳市中级人民法院，很具有执法的权威性。于是马随意自认输到底了。

马随意为什么要告那些个官呢？

是由这样的事引起的：河上翻了船，落水者众。参与营救者亦众，逾百人。

不再仅仅围观了，这是多好的现象，证明见义勇为已成当地民众普遍的人道精神。马随意斯时正驾舟于河，自然也一如既往地参与了营救。他立身于船，靠渔网机智而成功地救起最后两名落水者……

镇里的那些个干部，要开表彰大会，在会上给表现突出的营救者们发荣誉证书，发奖金。他们要通过此举，使见义勇为之精神在民众中更加得以弘扬。

这显然也是必要之举。尤是良好的愿望。

于是他们限定了表彰人数——五名。

还规定了表彰前提——跃入水中进行营救的。

于是他们实行了一个看起来很民主的程序——先由群众推选，再由他们圈定。

马随意那个村里的人们，虽然明知他并未跃入水中而是站在船上进行营救的，但毕竟救起了两条人命，所以仍一致推选了他。二十余年间已先后救过二三十人的马随意，倍觉欣慰。那是他一生将要受到的唯一一次表彰啊。而且他当之无愧啊。

然而镇里的干部在进行最后圈定时，将他的名字从受表彰者名单上划掉了。

既然他们已经拟了"原则"，照章而为就是；既然马随意没有跃入水中进行营救，当然不在公开表彰之列。何况，他们中，已有人陪着获救者家属，登门向马随意当面感谢过了。干部们认为获救者家属已经做得很周到了。

但是没有谁预先通告马随意——其实他不在受表彰之列，村里的任何一个人也不知道。

结果尴尬就发生了——表彰会前，马随意被村人们簇拥到了第一排就座。第一排算上他共六人。眼看着其他五人披红戴花，接受荣誉证书和奖金，唯独自己被冷落一旁，他当时的心情可想而知。

他的尴尬仅止于此，还则罢了。

紧接着更令他感到尴尬的事发生——要给五名受表彰者合影了，一名镇干部呵斥他："又没你的份儿，你坐这儿干什么？闪一边去！"

于是马随意反而成了被哄笑的对象。

这农民的自尊心严重受伤了。他还从没逢过如此尴尬之事。

我想，我们不应责怪这农民太小心眼吧？凡是个人，都有点儿自尊心的吧？

　　一名普通农民的自尊心，谁会去重视它的受伤与否呢？

　　于是马随意进而成了村人嘲弄的人。

　　老实的农民，决定要自己讨回点儿自尊心了。

　　这也是很正常的吧，

　　他要讨回自尊心的方式，无非就是去找镇干部，希望对他和另外五人一视同仁，补给他一份荣誉证书，使他得以挽回一点儿面子。

　　这过分么？

　　但是多么的难啊！

　　第一次没结果，当然就觉得更没面子了，当然就必得去第二次了。

　　直至十一个月以后，他才终于讨到了一份荣誉证书。

　　这简直成了一个农民为了维护自尊心的一场战役！

　　正当他的心理平衡了一点儿的时候，有一种说法从镇上的干部们口中传出来了："他那个证书是不算数的，只不过为了安定才……"

　　倒似乎马随意是一个"不安定"分子了。

　　于是农民马随意感到最终还是受了愚弄。是不是真的对他一视同仁了呢？我看也根本不是。否则会拖到十一个月以后么？否则镇里的工作人员会对他嚷："就轻蔑你了！你能怎么着吧？"——这种话么？

　　于是马随意将他们告了。

　　一审，马随意败诉。

　　法庭认为——对于见义勇为者的表彰，法律尚无明确的条文规定。因而马随意的要求没有法律依据，不予支持……

　　马随意不服，二审依然败诉。

　　法官们的认为如上。而且一个个还都振振有词，都一副副"依法办

"事"的面孔。

这便是中央电视台5月24日晚一栏节目的内容。

节目主持人最后评论道："这本来是不该发生的事……"

却没有进一步分析为什么"不该发生的故事"居然发生了——分明是事件的原因。

我已久不写此类文章了。

我也久不动气了。

然而我当时又一次感到气愤，竟至于坐立不安，一边来回踱步一边看电视。

我至少十次劝自己打消写这篇文章的念头，但是我不写就如鲠在喉啊！胸膛发堵啊！

联想以前从电视中看到的诸事，气愤由是强烈。

我恨不得在这篇文章里骂娘。

但骂娘总是不文明的。那就忍住不骂了罢！

然而我替农民马随意抱不平。

让我先来质问那些镇里的官：

凭什么你们拟定了只能表彰五人，就一定得按你们的"既定方针"办，多一个马随意就断然不行？

难道他救起来的就不是两条人命？

难道你们不是在做要使见义勇为之精神发扬光大的事，而是在赐给什么享受终生特殊待遇的"高级职称"？难道是在增补镇领导班子成员？难道多一个马随意反而将肯定地不利于见义勇为精神的发扬光大么？

不就是再多颁发一份荣誉证书，再补给马随意三百元钱么？那不就是你们一顿公饭的钱么？兴许你们一顿公饭排场起来还远远不止三百元。何况马随意还只要证书，也就是只要一种承认不要钱！就凭他此前已救过二三十人这一点，即使那一次并没赶上也用他的方式救了两条人命，一并予以表彰应该不应该？表彰了他是不是比将他摒除在名单以外更有利于见义勇为精神的群众教育？难道不是连群众都认为他实在很配受到表彰么？

凭什么你们一旦拟定了只有"跃入水中营救"才是表彰前提，用别的方法营救就"不算数"了呢？

这是什么逻辑？

这是从什么混账头脑里产生出来的鬼名堂？！

以此表彰"原则"进行群众性的见义勇为之精神的教育，可笑不可笑？荒唐不荒唐？自以为是不自以为是？见义勇为断不该是一种过程的表演而最终乃是为了营救性命不是么？为了倡导此精神以任何方式营救不都是可赞的么？在来得及的情况之下充分利用器物而且事实上也达到了救命目的，不正是可予以表彰的么？难道营救火海中人倘靠了云梯由窗口接应便不够"勇为"？

如果事实上连跃入水中救起二人者，排不上表彰名单的也还多多，那么马随意被摒除在名单之外自然毫不奇怪。

但这样的人不是算上马随意总共才六名么？

如果预先不了解马随意二十余年间已救起过二三十人，那么马随意前去请求给自己补发一份证书后，对其稍加一点调查了解是不难的吧？派个办事员到他村里去打听打听不就清楚了么？

如果事情这样去做：了解之后，鉴于马随意二十年间救起过二三十人的一贯事迹；鉴于他在"那一次"毕竟也救起了二人这一事实，派个人再到村上去补发给他一份证书，不是更加证明自己倡导见义勇为的真诚么？不是很给自己的干部形象添分么？

然而竟不。

为什么？

还不是官本位的思想在头脑中作祟？

我们拟定了五人就五人！

我们说了"只有跃入水中"营救才配受到表彰，那就是金口玉言的"圣旨"！

但我倒要再问了：倘马随意本人即你们镇干部中的一位，或与什么高高在你们之上的大干部有着亲密的关系，他还会落到既救了人又遭讥笑的尴尬之境么？

但我倒要再问了：倘有一位比你们大的官，哪怕官职比你们只高半级，哪怕是以商量的态度向你们建议——对于这个马随意，还是给以表彰的好，你们仍会固执己见么？

但我倒要再问了：你们主持的若是别的大会，若有一位高于你们的干部该在名单上而没被宣报其名，该被请上台而竟被冷落台下，并且陷于大的窘况，你们将会如何？再三再四地检讨赔礼道歉唯恐不及吧？

而一个普通农民，伤了他的自尊又怎样？哼！

这是否便是你们的心理？

我们是镇里的官，既然我们已经定了大会只表彰五人，改成六人也不是不行——但要看谁要求我们改，为什么人改——马随意，一个普通的农民，拉他的倒吧！谁管他以前救过多少人！

我们是镇里的官，既然我们已经"统一了意见"了——

"跃入水中营救的才算数"，那也要看为谁修正这一前提——马随意，一个普通的农民，他有什么资格！那我们官的话还有斤两么？那我们定了的"原则"还是"原则"么？谁管他表彰会上出没出丑！

这难道不是你们冰冷的理念么？

你们在事后，即马随意成为败诉的原告的一年多之后么？

明明早就能意识到但自己的面子才更重要！哪怕换一种做法一点儿也不损害你们的面子反而会使你们形象可爱些！表面上看，马随意败诉了，但你们就因而光彩了么？工作方法被裁决在"并不犯法"的界线，如此之低的水平有什么光彩的？

我还要质问一审二审法院：法律上没有条文可依，法律之外是否还有情理？法官都是只懂法理不懂情理之人么？法庭是那种只讲法理根本无视情理的地方么？

果而如此，法律上还制定了庭上调解庭外调解两条干什么？

我很奇怪两级法院为什么在此事上都不进行调解？

站在情理的正确立场上，切身想象一下一个救过那么多人的农民的感受，劝镇里的干部们做得像点儿干部的样子——这么调解是否竟有损了法律的严正呢？

当然，这就需要将一个农民和一些镇干部，看成同样有尊严同样在乎面子的人……

却分明的没有这样做。

于是——一个一向以救人为天经地义之事，一向救人并不图名图利，并且在最直接的一次落水事件中救起了两个人，并且在自尊心受了严重伤害的情况之下一如既往地还救起过人的——普普通通的农民，被中国的两级法院宣判——他仅想讨回一点点自尊心的要求，是法律不予支持的！

而这一切竟是由倡导见义勇为的一次表彰大会引发的！

是否太具讽刺意味了？是否太黑色幽默了？

而我不禁联想到另外一些事，都是从电视里看到的真实的事：

交通警察以维护交通规则为由，阻拦一辆马车的通行，不顾车上躺着呻吟不止的孕妇，结果造成人命死亡……

门卫以正在执勤站岗为由，对发生在面前的光天化日之下的强奸暴行熟视无睹……

传达室工作人员以"内部电话不外借"的"规定"为由，拒绝危难者的哀求……

港口官员同样以"上边有规定，先交钱后出船"为由，面对跪于眼前的渔民家属们冷若冰霜，结果渔民们只有在风暴中葬身大海……

医院为了实行救死扶伤，在从血站取不到血浆的紧急情况之下，向武警部队求援，抽取四十余名武警战士的鲜血使孕妇母子的生命得以双全，但却要受通报处分，因为违反了有关方面的规定……

什么规则、规章、规定，难道不都是人定的而是"上帝"定的么？难道不是人为了人才定的么？但在某些中国人那儿，尤其在某些中国的大官小官那儿，却仅仅成了"权"意识的一部分，成了冰冷的东西。

冰冷到什么程度？——冰冷到仿佛高束于人性和人道原则之上的东西！

有时甚至连绿豆粒大的几个官甚或仅仅一个官的一句话，也似乎足以具有"铁律"的意味儿。在它面前，某些事变得极为荒唐了；在它面前，情理常被颠倒了；在它面前，普通人蒙受了天大的委屈而无处可诉；在它面前，有时连人命也仿佛不算什么了！

这些中国人，这些官们，多像俄国作家们笔下沙皇时代那些丑陋、愚蠢而又冷酷的握权小吏！

我们什么时候可以使他们明白？——在这个世界上，不该有什么另外的东西是高于人道和人性原则的；为了使人道和人性原则居于神圣的位置，现存的一切规则、规章、规定，其实都是完全可以也完全应该灵活的事情……

或许，我不值得又激动起来？

时间即"上帝"

少年时读过高尔基的一篇散文——《时间》。高尔基在文中表现出了对时间的无比敬畏。不，不仅是敬畏，甚至可以说是一种极其恐惧的心理。是的，是那样。因为高尔基确实在他的散文中用了"恐惧"一词。他写道：夜不能眠，在一片寂静中听钟表之声嘀嗒，顿觉毛骨悚然，陷于恐惧……

少年的我读这一篇散文时何等地困惑不解啊！怎么，写过激情澎湃的《海燕》的高尔基，竟会写出《时间》那般沮丧的东西呢？

步入中年后，我也经常对时间心生无比的敬畏。我对生死问题比较地能想得开，所以对时间并无恐惧。

我对时间另有一些思考。

有神论者认为一位万能的神化的"上帝"是存在的。

无神论者认为每一个人都可以成为自己的"上帝"。起码可以成为主宰自己精神境界的"上帝"。

我的理念倾向于无神论。

但，某种万能的，你想象其寻常便很寻常，你想象其神秘便很神秘的伟力是否存在呢？如果存在，是什么呢？

我认为它就是时间。

我认为时间即"上帝"。

它的伟力不因任何人的意志而转移。

"愚公移山"、"精卫填海",其意志可谓永恒,但用一百年挖掉了两座大山又如何?用一千年填平了一片大海又如何?因为时间完全可以再用一百年堆出两座更高的山来;完全可以再用一千年造出一片更广阔的海域来。甚至,可以在短短的几天内便依赖地壳的改变完成它的"杰作"。那时,后人早已忘了移山的愚公曾在时间的流程中存在过,也早已忘了精卫曾在时间的流程中存在过,而时间依然未老。

只有一样事物是不会古老的,那就是时间。

只有一样事物是有计算单位但无限的,那就是时间。

"经受时间的考验"这一句话,细细想来是人的一厢情愿——因为事实上,宇宙间没有任何东西真正经受得住时间的考验。一千年以后金字塔和长城也许成为传说,珠峰会怎样很难预见。

归根到底我要阐明的意思是:因为有了人,时间才有了计算的单位;因为有了人,时间才涂上了人性的色彩;因为有了人,时间才变得宝贵;因为有了人,时间才有了它自己的简史;因为有了人,时间才有了一切的意义……

而在时间相对于人的一切意义中,我认为,首要的意义乃是——因为有了时间,人才思考活着的意义;因为在地球上的一切生命形式中,独有人才进行这样的思考,人类才有创造的成就。

人类是最理解时间真谛,也是最接近时间这一位"上帝"的。

每个具体的人亦如此。

连小孩子都会显出"时间来不及了"的忐忑不安或"时间多着呐"的从容自信。

决定着人的心情的诸事,掰开了揉碎了分析,十之八九皆与时间发生密切关系。

人类赋予了冷冰冰的时间以人性的色彩；反过来，具有了人性色彩的时间，最终是以人性的标准"考验"着人类的状态——那么：

谁能说和平不是人性的概念？

谁能说民主不是人性的概念？

谁能说平等和博爱不是时间要求于人类的？

人啊，敬畏时间吧，因为，它比一位神化的"上帝"对我们更宽容；也比一位神化的"上帝"对我们更严厉。

人敬畏它的好处是：无论自己手握多么至高无上的权杖，都不会幼稚地幻想自己是众生的"上帝"。因为也许，恰在人这么得意着的某个日子，时间离开了他的生命……

巴金的启示

巴金老人在世时，我是见到过他两次的。

第一次是1977年5月23日，上海举行纪念毛泽东《在延安文艺座谈会上的讲话》的活动。一次规模很大的活动。正式出席的有三百余人，曰"代表"。前一年10月已经粉碎了"四人帮"，而我那一年的9月毕业。我是以复旦大学中文系特约学生"代表"的身份参加的。复旦大学中文系也就分到了那么一个学生"代表"名额。我之所以将"代表"二字括上引号，乃因都非是民主方式选举产生的，而是指定的。

于我，那"代表"的资格是选举的也罢，是指定的也罢，性质上都是没有什么区别的——无非就是一名在校的中文系学生参加了一次有关文艺的纪念活动而已。如今想来，对于当时那三百余位正式"代表"而言，意义非同小可。正因为都是指定的，那体现着粉碎"四人帮"以后的中国政治，对众多文艺界人士的一种重新评估；一种政治作用力的，而非文艺自身能力的，展览式的，集体的亮相。中老年者居多，青年寥寥无几。我在文学组，两位组长是黄宗英老师和茹志鹃老师；我是发言记录员。文学组皆老前辈，连中年人也没有。除了我一个青年，还有一名华东师大的女青年，也是中文系的在校生。

巴金老当年便是文学组的一名"代表"，还有吴强、施蛰存、黄佐临等。我虽从少年时期就喜爱文学，但有些名字对于我是极其陌生的。比如施蛰存，我就闻所未闻。我少年时期不可能接触到他的作品。建国后，除了某些老图书馆，新建的图书馆，包括大多数大学的图书馆里，根本寻找不到他的作品。建国后，他的作品大约也是没再版过的吧？考虑到学科的需要，复旦大学中文系的阅览室虽然比校图书馆的文学书籍更"全面"一些，虽然我几乎每天都到阅览室去，但三年里既没见过施蛰存的书，也没见过林语堂、梁实秋、胡适、徐志摩、张爱玲、沈从文的书。这毫不奇怪。建国后，尤其是"文革"中，全国一概的图书馆，是被一遍一遍篦头发一样篦过的。他们的书不可能被我这一代人的眼所发现。

然而，巴金老的书当年却是赫然在架的。

如今想来，我觉得巴金老比起他们，那还是特别幸运的。作为作家，他虽然在"文革"时期被"冰冻"了起来，但是他的作品，毕竟还能在一所著名大学中文系的阅览室里存在着。

尽管粉碎"四人帮"了，但文学老人们在会上的言语既短少又谨慎。在会间休息，相互之间的交谈那也是心照不宣，以三言两语流露彼此关心的情谊而已。每个人的头上，依然还戴着"文革"中乃至自从建国以后被强加的莫须有的罪名。那是一些依然戴着这样或者那样的罪名却又蒙幸参加纪念活动的"代表"。

由于我几乎读过巴金老那时为止的全部作品，对他自然是崇敬的。上楼下楼时，每搀扶着他。用餐时，也乐于给前辈们添饭，盛汤。但是我没和他交谈过。心中是想问他许多关于文学的问题的，但又一想肯定都是他当时难以坦率回答一个陌生的文学青年的问题，于是不忍强前辈所难……

第二次见到巴金老，是在上海，在他的家里。已忘记了我到上海参加什么活动。八九人同行，又是我最年轻。内中还有当时作协的领导，所以我一言未发，只不过从旁默默注视他。也可以说是欣赏一位文学老人。那一年似乎是1985年。他已在一年前的四届作代会上被选为中国作协主席。那一次他给我留下的印象用两个字就可以概括——慈祥。

后来巴金老出版的几本思想随笔，我也是很认真地读过的。

对于我个人，他那一种虔诚的忏悔意识和要求自己以后说真话的原则，给我留下深刻印象。

于今，前一种印象越来越淡薄了，后一种印象更加深刻了。

依我想来，当政治的巨大脚掌悬在某些人头上，随时准备狠狠踩踏下去的时候，无论那些人是知识分子抑或不是，由于懦弱说了些违心的话——那实在是置身度外的人应该予以理解和原谅的。后来人说前朝事也罢，在安全的方位抱臂旁观也罢。尤其那违心话的性质仅仅关乎自己对自己的评价，并没有同时牵连别人安危的时候。巴金老人在"文革"中所说某些违心话，便是如上的一些话而已。他当选中国作协主席以后，对自己所作的反思和忏悔，自然是极可爱极可敬的，也完全值得我们后辈尤其是后辈知识分子学习。但若将中国发生"文革"那样的事情与中国知识分子应该集体地怎样、居然没有集体地怎样直接联系起来进行评判，则我认为是很小儿科的评判。巴金老人自己并没用他的文字发表过以上的联系。但以上言论"文革"后一直是有的。它的小儿科的性质乃至于——忽略了相对于政治的巨大脚掌，一个或一些被剥夺了话语权的知识分子，几乎便渺小得形同蝼蚁这样一个事实。我以为正确的评判立场也许恰恰相反，首先应该受到谴责的是那一只巨大的脚掌。它不该那么不道德，它怎么又偏可以那么不道德地肆无忌惮呢？这一定有它自身的规律。将思想的方向一味引向对知识分子的分析，恰恰会使真正值得深入分析并大声说出分析结果的现象获得赦免。在中国知识分子不知怎么一下子热衷于分析知识分子自身的过剩的思想泡沫中，我以为真正值得深入分析的现象，在中国还一直并没有被分析得多么深入。也可以说，实际上几乎等于获得了赦免。

以我的耳听来，违心的话，热衷而渐成习惯的假话、套话、照本宣科的毫无个人态度的话，等等令人听了心里恼火大皱其眉的高调门儿的话，委实太多了！

巴金老人自己并不好为人师。他从未摆出诲人不倦的面孔，以知识分子导师的话语和文章来"告诫"要求中国知识分子"应该"说真话。所以我将"应该"括上引号，也将"告诫"括上引号。巴金老人只不过通过解剖分析和批判自己以身作则。

而以我的眼看，他的以身作则是起到了一定影响作用的。

而以我的耳听，假话虽仍此起彼伏不绝于耳，但是真正发自中国知识分子之口的假话，确乎比以往的任何年代都少了。

中国知识分子已找回了一点儿说假话应该感到的羞耻。

尽量说真话；难以坦陈真言之时便不说话；尽量避免说假话、套话；以不进谄言不说媚语为底线……

是的，我以为大多数知识分子，对于自己的话语是逐渐具有一种较为自尊自重的原则态度了。

假话现象，分明已像云朵一样，随风积聚到另外的平台上去了。恕我直言——官场上的假话目前最多，坏影响也最大。

出于知识分子之口的假话现象固然是少了，但并不意味着人们同时从知识分子口中听到的真话于是多了。

以我的眼看来，以我的耳听来，仅仅说格外保险的"知识"话语的知识分子多了。知识分子总是不甘寂寞的。既为知识分子，干脆只言说"知识"，确乎明哲保身，于是蔚然成风。

这是一种仅仅飘浮在关于中国知识分子的话语品质的底线之上的现象。

这不是一个高标准。

但相比于从前的年代，总归也还算是一种进步。

有底线毕竟比完全没有好。

然而以我的眼看来，以我的耳听来，民众对于中国知识分子的期望，是越来越变成失望了。

民众对知识分子的要求显然比知识分子目前对自身的要求高不少。民众企盼知识分子能如古代的"士"一般，多一些社会担当的道义和责任。

我们太有负于民众了。

我自己从青年时期便幻想为"士"，然而我自己的知识分子原则，也早已从理想主义的高处，年复一年的，徐徐降至底线的边缘了。

于是每联想到冰心老人生前写过的一篇短文——《无士当如何？》。

有时我甚至想——也许中国人对中国知识分子（这里主要指的是文化知识分子）的社会定位太过中国特色也太过超现实主义了吧？也许"士"只适合于古代吧？正如"侠"的时代和骑士的时代，只能成为人类的历史？

但已降至文化知识分子人格底线边缘的我，对于自己说假话还是不能不感到耻辱；倘听到我的同类说假话还是不能不感到嫌恶。

真话不一定总是见解正确的话。

不是"二百五"的人也一定应该明白——对于许多事情，正确的话肯定不会仅仅发自一个社会发言的立场。有时发自于两个截然不同甚至对立的立场的社会发言，往往各有各的正确性。

而假话，却肯定是粘带着千般百种的私利和私欲的话。

故假话里产生不了任何有益于社会公利的意义。

即使不正确的真话，也将一再证明着人说真话的一种极正当的极符合人性的权利。

什么时候，假话终于没了大行其道八面玲珑的市场；或即使不正确的真话，也不再是一种罪过——那时，只有那时，真话里才能产生真正的思想力。

用不说假话的原则来凸显出假话的丑陋；在这个底线上，这个前提下，我相信，中国文化知识分子的担当道义，总有一天会成为一种令民众满意的角色特征。

II.
人性的

质地

中国人文文化的现状

我先朗诵一首台湾诗人羊令野的《红叶赋》：我是裸着脉络来的 /
唱着最后一首秋歌的 / 捧出一掌血的落叶啊 / 我将归向我第一次萌芽的
土 // 风为什么萧萧瑟瑟 / 雨为什么淅淅沥沥 / 如此深沉的漂泊的夜啊
/ 欧阳修你怎么还没有赋个完呢 // 我还是喜欢那位宫女写的诗 / 御沟
的水啊缓缓地流 / 啊小小的一叶载满爱情的船 / 一路低吟到你跟前。

现在是一个多元化的时代，对文学的理解也以多元为好，一个人过
分强调自己所理解的文学理念的话，有时可能会显得迂腐，有时会显得
过于理想主义，甚至有时会显得偏激。而且最主要的是我并不能判断我
的文学理念，或者说我对文学现象的认识是否接近正确。人不是越老越
自信，而是越老越不自信了。这让我想起数学家华罗庚举的一个例子，
他说人对社会、对事物的认识，好比伸手到袋中，当摸出一只红色玻璃
球的时候，你判断这只袋子里装有红色玻璃球，这是对的，然后你第二
次、第三次连续摸出的都是红色玻璃球，你会下意识地产生一个结论：
这袋子里装满了红色玻璃球。但是也许正在你产生这个意识的时候，你
第四次再摸，摸出一只白色玻璃球，那时你就会纠正自己："啊，袋子
里其实还有白色的玻璃球。"当你第五次摸时，你可能摸出的是木球，
"这袋子里究竟装着什么？"你已经不敢轻易下结论了。

我们到大学里来主要是学知识的，其实"知识"这两个字是可以、而且应当分开来理解的。它包含着对事物和以往知识的知性和识性。知性是什么意思呢？只不过是知道了而已，甚至还是只知其一，不知其二。同学们从小学到初中到高中，所必须练的其实不过是知性的能力，知性的能力体现为老师把一些得出结论的知识抄在黑板上，告诉你那是应该记住的，学生把它抄在笔记本上，对自己说那是必然要考的。但是理科和文科有区别，对理科来说，知道本身就是意义。比如说学医的，他知道人体是由多少骨骼，多少肌肉，多少神经束构成的，在临床上，知道肯定比不知道有用得多。

但是文科之所以复杂，是因为它不能仅仅停止在"知道"而已，尤其在今天这样一个资讯发达的时代。比如说我在讲电影、中外电影欣赏评论课时，就要捎带讲到中外电影史；但是在电影学院里，电影史本身已经构成一个专业，而且一部电影史可能要讲一学年。电影史就在网上，你按三个键，一部电影史就显现出来了，还需要老师拿着电影史划出重点，再抄在黑板上吗？

因此我讲了两章以后，就合上书了。我每星期只有两堂课，对同学来说，这两堂课是宝贵的，我恐怕更要强调识性。我们知道了一些，怎样认识它？又怎样通过我们的笔把我们的认识记录下来，而且这个记录的过程使别人在阅读的时候，传达了这种知识，并且产生阅读的快感？本学期开学以来，同学们都想让我讲创作，但是我用了三个星期六堂课的时间讲"人文"二字。大家非常惊讶，都举手说："人文我懂啊。典型的一句话就够了——以人为本。"你能说他不知道吗？如果我问你们，你们也会说"以人为本"；如果下面坐的是政府公务员，他们也知道以人为本；若是满堂的民工，只要其中一些是有文化的，他也会知道人文就是以人为本。那么我们大学学子是不是真的比他们知道得更多一点呢？除了以人为本，还能告诉别人什么呢？

如果我们看一下历史，人类从开始认识、使用火，制造简单的工具，到出现农业的雏形，有了一般的交换、贸易，经历了漫长的历史时期，而这个时期还只能叫文明史，不能叫文化史。

文化史，在西方至少可以追溯到大约公元前三千五百年，那时出现了楔形文字。有文字出现的时候才有文化史，然后就有了早期的文化现象。从公元前三千五百年左右再往前的一千年内，人类的文化都是神文化，在祭祀活动中，表达对神的崇拜；到下个一千年的时候，才有一点人文化的痕迹，也仅仅表现在人类处于童年想象时期的神和人类相结合生下的半人半神人物传说。那时的文化，整整用一千年时间才能得到一点点进步。

到大约公元前四五百年时，出现了伊索寓言①。我们在读《农夫和蛇》的时候，会觉得不就是这么一个寓言吗？不就是说对蛇一样的恶人不要有恻隐吗？甚至我们会觉得这个寓言的智慧性还不如我们的"杯弓蛇影"，不如我们的"掩耳盗铃"和"此地无银三百两"。我们之所以会有这种想法，是因为我们没有把寓言放在大约公元前五六百年的人类文化坐标上去看待。大约公元前六百年出现了一个叫伊索的奴隶，我个人认为这是人类人文主义的第一次体现。想一想，近公元前六百年的时候，有一个奴隶通过自己的思想力争取到了自由，这是人类史上第一个通过思想力争取到自由的记录。伊索的主人在世的时候曾经问过他："伊索，你需要什么？"伊索说："主人，我需要自由。"他的主人那时不想给伊索自由，伊索内心也不知道自己能不能获得，他经常担任的工作也只不过是主人有客人来时，给客人讲一个故事。伊索通过自己的

---

① 伊索（前620年—前560年），是公元前6世纪古希腊著名的寓言家；现存的《伊索寓言》，是古希腊、古罗马时代流传下来的故事，经后人整理，统归在伊索名下。

思想力来创造故事，他知道若做不好这件事情，他决然没有自由；做好了，可能有自由，也仅仅是可能。当伊索得到自由的时候，已经四十多岁了，他的主人也快死了，在临死前给了伊索自由。

当我们这样来看伊索、《伊索寓言》的时候，我们会对这件事，会对历史心生出一种温情和感动。这就是后来人文主义要把自由放在第一位的原因。在伊索之后才出现的苏格拉底、柏拉图、亚里士多德，他们三位都强调过阅读伊索的重要性。我个人把它确立为人类文明史上相当重要的人文主义事件。还有耶稣出现之前，人类是受上帝控制的，上帝主宰我们的灵魂，主宰我们死后到另一个世界的生存。但是到耶稣时就不一样了，从前人类对神文化的崇拜（这种崇拜最主要体现在宗教文化中），到耶稣这里被人文化，这是一种很大的进步。即使耶稣这人是虚构出来的，也表明人类在思想中有一种要摆脱上帝与自己关系的本能。耶稣是人之子，是由人类母亲所生的，是宗教中的第一个非神之"神"。人们要为自己创造另一个神，才发生了宗教上的讨伐。最后在没有征服成功的情况下，说"好吧，我们也承认耶稣是耶和华的儿子"。因为流血已不能征服人类需要一个平凡的神的思想力。

那时是人文主义的世界，我们在分析宗教的时候，发现基督教义中谈到了战争，提到如果战争不可避免，获胜的一方要善待俘虏。关于善待俘虏的话一直到今天都存在，这是全世界的共识，我们没有改变这一点，我们继承了这一点，我们认为这是人类的文明。还有，获胜的一方有义务保护失败方的妇女和儿童俘虏，不得杀害他们。这是什么？是早期的人道主义。还提到富人要对穷人慷慨一些，要关心他们孩子上学的问题，关心到他们之中麻风病人的问题。后来，萧伯纳也曾谈到过这样的问题，及对整个社会的认识，认为当贫穷存在时，富人不可能像自己想象的那样过上真正幸福的日子，请想象一下，无论你富到什么程度，只要城市中存在贫民窟，在贫民窟里有传染病，当富人不能用栅栏把这些给隔离开的时候，当你随时能看到失学儿童的时候，如果那个富人不是麻木的，他肯定会感到他的幸福是不安全的。

我今天突然想到一个问题：英国、法国都有这么长时间的历史了，但我接触到的欧洲的文化人所写的对于当时王权的歌颂是极少的。但在孔老夫子润色过的《诗经》里，包括风雅颂——风指民间的，雅是文化人的，而颂就是记录中国古代的文化人士对当时王权拥有者们的称颂。这给了我特别奇怪的想法，文化人士的前身，和王权发生过那样的关系，为什么会那样？古罗马在那么早的时期已经形成了元老院，相传元老院的形式还是圆形桌子，每个人都可以就关系到国家命运的事务来阐述自己的观点，并展开讨论。在那样的时候，也没有出现对屋大维称颂的诗句，而《诗经》却大量存在着歌颂王权的诗句，因为我们那个时候的社会没有发展到这种程度。

被王权利用的宗教就会变质，变质后就会成为统治人们精神生活的方式，因此在14世纪时出现了贞洁锁、铁乳罩。当宗教走到这一步，从最初的人文愿望走入到了反人性，在这种情况下出现的《十日谈》就挑战了这一点，因此我们才能知道它的意义。再往后，出现了达·芬奇、莎士比亚，情况又不一样了，我们会困惑：今天讲西方古典文学的人都知道，莎士比亚的戏剧中充满了人文主义的气息，按照我们现在的看法，莎士比亚的戏剧都是帝王和贵族，如果有普通人的话，只不过是仆人，而仆人在戏剧中又常常是可笑的配角，我们怎么说充满人文主义呢？要知道在莎士比亚之前，戏剧中演的是神，或是神之儿女的故事，而到这里，毕竟人站在了舞台上，正因为这一点，它是人文的，就这么简单，针对神文化。

因此我们看到一个现象，在舞台上真正占据主角的必然是人上人，而最普通的人要进入文艺，需经过很漫长的争取，不经过争取，只能是配角。在同时代的一幅油画《雅典学派》中，中间是柏拉图与亚里士多德，旁边是苏格拉底、阿基米德等，把所有希腊时期和画家同时代的人类文化的精英都放在一个宏伟壮丽的古典式大厅中，而且是用最古典主义的画风把它画出来。在此之前人类画的都是神，神能那样地自信、那样地顶天立地，而现在人把自己的同类绘画在盛典中，这很重要，然后才能发展到16、17世纪的复兴和启蒙。我们今天看雨果作品，看《巴黎圣母院》的时候，感觉也不过是一部古典爱情小说而已，但有这样一个场面：卡西莫多被执行鞭笞的时候，巴黎的广场上围满了市民，以致警察要用他们的刀背和马臀去冲撞开人群。而雨果写到这一场面的时候是怀着嫌恶的，他很奇怪，为什么一个我们的同类在受鞭笞的时候，有那么多同类围观，从中得到娱乐？这在动物界是没有的，在动物界不会发生这样的情景：一种动物在受虐待的时候，其他动物会感到欢快。动物不是这样的，但人类居然是这样的。人文主义就是嘲弄这一点。

建国以后的十几年间，由外国翻译过来的文学作品不像现在这样多，是有限的一些。一个爱读书的人无论借或怎么样，总是会把这些书都读遍的。屠格涅夫的《木木》和托尔斯泰的《舞会以后》给我以非常深的印象。

《木木》讲的是一个高大的又聋又哑的看门人，他来自农村，本来是一个特别能干的庄稼人，看门人的工作让他感觉离开了土地，没有了价值感。他爱上了一位女仆，所有人都知道，可是女主人却将她嫁给了一个鞋匠。还好他有一只叫木木的小狗，他在木木身上寄托了所有的情感。有一天，女主人看见了木木，伸手要摸它的头，木木突然回过头来，露出了它的牙齿。女主人很生气，让人背着看门人将木木卖了；几天之后，木木又找回了家。女主人更为恼怒，命令看门人交出木木。可想而知，看门人没有亲情，没有友情，只有与那只小狗的感情，但他并没有觉悟到也不可能觉悟到要反抗要争取，他最后只能是含着眼泪把小狗抱到河边，在它的脖子上拴了两块砖头，眼看着小狗沉下去。

　　类似的还有托尔斯泰的《午夜舞会》，讲的是托尔斯泰那时是名军官，在要塞做中尉。他爱上了要塞司令美丽的女儿，两人已经谈婚论嫁。午夜要塞举行舞会，他和小姐在要塞的花园里散步，突然听到令人恐怖的喊叫声，原来在花园另一端，司令官在监督对一个士兵施行鞭笞。托尔斯泰对小姐说："你能对你的父亲说停止吗？惩罚有时体现一下就够了。"但是小姐不以为然地说："不，我为什么要那样做，我的父亲在工作，他在履行他的责任。"年轻的托尔斯泰请求了三次。小姐说："如果你将来成为我的丈夫，对于这一切你应该习惯。你应该习惯听到这样的喊叫声，就跟没有听到一样。周围的人们不都是这样吗？"确实周围的人们就像没有听到一样，依旧在散步，男士挽着女士的手臂是那样地彬彬有礼。托尔斯泰吻了小姐的手说："那我只有告辞了，祝你晚安！"背过身走的时候，他说："上帝啊，怎么会做这样一个女人的丈夫，不管她有多么漂亮。"这影响了我的爱情观，我想以后无论我遇到多么漂亮的女人，如果她的心地像那位要塞司令官的女儿，或者像包法利夫人那样虚荣，她都蛊惑不了我，那就是文学对我们的影响。

　　我从北京大串联回来的时候，走廊里挂满了大字报。我看到我的语文老师庞盈，从厕所出来，被剃了鬼头，脸已经浮肿，一手拿着水勺，一手拿着小桶。我不是她最喜欢的学生，但我那时的反应就是退后几步，深深地鞠个躬说："庞盈老师，你好！"她愣了一下，我听到小桶掉在地上，她退到厕所里面哭了。多少年以后她在给我的信中说："梁晓声，你还记得当年那件事吗？我可一直记在心里。"这也只能是我们在那个年代的情感表达而已。那时我中学的教导主任宋慧颖大冬天在操场里扫雪，没有戴手套，并且也被剃了鬼头。我跟她打招呼，"宋老师，我大串联回来了，也不能再上学了，谢谢你教过我们政治，我给你鞠个躬"。这是我们仅能做的吧，但在那个年代这对人很重要。可能有一点点是我母亲教过我的，但是书本给我的更多一些。

正因为这样，再来看那些我从前读过的名著时，我内心会有一种亲切感。大家读《悲惨世界》的时候，如果不能把它放在那个时代的文化背景里来思考，那么我们还为什么要纪念雨果？他通过《悲惨世界》那样一些书，在人类文化中举起人文主义的旗帜。他的这些书是在流亡的时候写的，连巴黎的洗衣女工都舍得掏钱来买。书里面写的冉·阿让，完全可以成为杀人犯的；里面最重要的话语就是当米里艾主教早晨醒来的时候，一切都不见了，唯一的财产也被偷走了。而米里艾主教说："不是那样的，这些东西原本就是属于他们的。穷人只不过把原本属于他们的东西从我们这里拿走了。没有他们根本就没有这些。银盘子是经过矿工、银匠的手才产生的。"这思想就是讲给我们众多的公仆听的。正因为雨果把他的思想放在作品里面，一定对法国的国家公仆产生了影响，我们为此而纪念他。人道精神能使人变得高尚，这让我们今天读它的时候知道它的价值。

我们在看当下的写作的时候，会做出一种判断，那就是我们的作品中缺什么？也就是以我的眼来看中国的文化中缺什么？我们经常说，我们在经济方面落后于西方多少年，我们要补上这一课，要补上科技的一课，要补上法律意识的一课，也要补上全民文明素质的一课。但是你们听说过我们也要补上文化的一课吗？好像就文化不需要补课。这是多么奇怪，难道我们的文化真的不需要补课吗？

"五四"时期我们进行人文主义启蒙的时候，西方的人文主义已经完成了它的任务。也就是说我们的国家进行初期人文启蒙的时候，西方的文化正处于现代主义思潮的时期。他们现在可以为文学而文学，为艺术而艺术，为形式而形式，甚至可以说他们可以玩一下文学，玩一下文艺，因为文学已经达到了它的最高值。我们不会理解现代主义，因为我们从来没有完成过。尽管五千年中我们的古人也说过很多话，其中比较有名的如"民为贵，君为轻，社稷次之"。这话中人文到了一种很高的境界，可它没有在现实中被实践过。当我们国家陷入深重灾难的时候，西方已经在思考后人文了，关于和平主义，关于进一步民主，关于环保主义，关于社会福利保障。

我和两位老作家去法国访问，当时下着雨，一辆法国车挡在我们的前面，我们怎么也超不过去。后来前面那辆车停下了，把车开到路边。他说一路上他们的车一直在我们前面，这不公平，车上有他的两个女儿，他不能让她们觉得这是理所当然的。我突然觉得修养在普通人的意识里能培养到什么程度。

前几年我认识了一个德国博士生古思亭，中文名字非常美。外国人能把汉语学成这样的程度是相当不易的。那天一位中国同学请她吃饭，当时在一个小餐馆里，那位同学说这个地方不安全，打算换个地方。走到半路，古思亭对她说："要是面好了，而我们却走了，这是很不礼貌的。我得赶紧回去把钱交了。"从中我们可以看出人文到底在哪里。

人文在高层面关乎国家的公平、正义，在最朴素的层面，我个人觉得，人文不体现在学者的论文里，也不要把人文说得那么高级，不要让我没感觉到"你不说我还听得清楚，你一说我反而听不明白了"。其实人文就在我们的寻常生活中，就在我们人和人的关系中，就在我们人性的质地中，就在我们心灵的细胞中，这些都是文化教养的结果，这也是我们学文化的原动力，而且是我们传播文化的一种使命。

我最后献给大家一首诗：我是不会变心的／大理石／雕成塑像／铜／铸成钟／而我／是用真诚锻造的／假使／我破了／碎了／那一片片／也还是／忠诚。

少年初识悔滋味

1971年，我到北大荒的第三个年头，连队已有二百多名知识青年了。我是一排一班的班长。

我们被认为或自认为是知识青年，其实并没有多少知识可言。我的班里，年龄最小的上海知青，才17岁。还是些中学生而已。

那一年全都在"割资本主义的尾巴"。团里规定——老职工老战士家，不得养母鸡。母鸡会下蛋，当归于"生产资料"一类。至于猪，公的母的，都是不许私养的。母猪会下崽，私人一旦养了，必然形成"资本的原始积累"。公猪呐，一旦养到既肥且重，在少肉吃的年代，岂非等于"囤稀居奇"？违反了规定者，便是长出"资本主义的尾巴"了，倘自己不主动"割得狠、割得疼、割得彻底、割出血来"。

有一年，有一名老职工和我们班在山上开创"新点"。5月里的一天，我忽听到了小鸡的吱吱叫声，发出在一个纸板箱里。纸板箱摆在火炕的最里角。

我奇怪地问："老杨，那里是什么叫？"他笑笑，说是小鸟儿叫。

我说："我怎么听着像是小鸡叫？"

他一本正经地说："深山老林，哪儿来的小鸡啊？是小鸟儿叫，我发现了一个鸟窝。大概老鸟儿死了，小鸟儿们全饿得快不行了。我一时动了菩萨心肠，就连窝捧回来了。养大就放生……"

他说得煞有介事，而且有全班人为他作证，我也就懒得爬上炕去看一眼，只当就是他说的那么回事儿……

不久后的一天，我见他在喂他的"鸟儿"们。它们一个个已长得毛茸茸的，比拳头大了。

我指着问："这是些什么？"

他嘿嘿一笑，反问："你看呢？"

我说："我看是些小鸡，不是小鸟儿。"

他说："我当它们是些小鸟儿养着，它们不就算是些小鸟儿了么？"

这时全班人便都七言八语起来。有的公然"指鹿为马"，说明明是些小鸟儿，偏我自己当成是些小鸡，以己昏昏，使人昏昏。有的知道骗不过我，索性替老杨讲情儿，说在山上，养几只小鸡也算不了什么，何必认真？再说，也是"丰富业余生活"内容么……

我也觉得大家的生活太寂寞了，不再反对。

你没法儿想象，那些"小鸟儿"，不，那些小鸡，是老杨每晚猫在被窝里，用双手轮番地焐，焐了半个多月，一只只焐出来的……

一日三餐，全班总是有剩饭剩菜的。它们吃得饱，长得快，又有老杨的精心护养，到了八九月份，全长成些半大鸡了。

"新点"建还是不建，团里始终犹豫。所以我们全班也就始终驻扎在山上。

"十一"那一天，老杨杀了两只最大的公鸡，我们美美地喝了一顿鸡汤。

春节前，连里通知，"新点"不建了，要全班撤下山。这是大家早就盼望着的事，可几只鸡怎么办呢？大家都犯起愁来。最后一致决定，全杀了吃。

其中四只是母鸡。杀鸡的老杨几次操刀，几次放下，对它们下不了手。他恳求地望着我说："班长，已经开始下蛋啊！"

我说："那又怎样？"

他说："杀了又太可惜呀！"

我说："依你怎么办？"

他进一步恳求："班长，让我偷偷带回连队吧！我家住在村尽头，养着也没人发现。发现了我自己承担后果。我家孩子多，又都在长身体的时候……"

而我，当时实在说不出断然不许的话……

我却不曾料到，这件事被我们班里一个极迫切要求入团的知青揭发了。于是召开了全连批判会。于是这件事上了全团的"运动简报"。

批判稿是我写的，我代表全班读的。尽管我按照连里和团里的指令做了，我这个班长还是被撤了职……

老杨一向为人老实，平时对我们也极好。他感到了被出卖的愤怒，也觉得当众受批判乃是他终生的奇耻大辱。一天夜里，他吊死在知青宿舍后的一棵树上……

我们被吩咐料理他的后事。他死后我才第一次到他家去。那是怎样的一个家啊！一领破炕席，三个衣衫褴褛营养不良的孩子，一个面黄肌瘦病恹恹的女人……那一种穷困情形咄咄逼人。

在他死后，尤其令人心情沉重而又内疚不已……

我们将埋他的坑挖得很深很深……

埋了他，我们都哭了，在他的坟头……

后来每一个星期日的夜里，都会有一爬犁烧柴送到他家门前……

后来我当了小学老师，教他的三个孩子。我极端地偏爱他们、偏袒他们，替他们买书包、买作业本。然而他们怕我、疏远我……

后来他们的母亲生病了，我们全班步行了二三十公里，赶到团部医院去要求献血。我住到了他们家里，每天替他们做饭，辅导他们的功课，给他们讲故事听……可他们依然怕我、疏远我，甚至在他们瞪着三双大眼睛听我讲故事的时刻……

后来我调到团宣传股去了。离开连队那一天，许多人围着马车送我。我发现我的三个学生的母亲、默默地闪在人墙后，似在看着我，又不似……

老板子发出赶马的吆喝声后，我见她双手将三个孩子往前一推，于是我听到他们齐声说出的一句话是"老师再见！"

我顿时泪如泉涌……

当年，我们连自己都不会保护，更遑论保护他人。这样想，虽然能使我心中的悔不再像难愈的伤口仍时时渗血，但却不能使当年发生的事像根本没发生过一样……

如今二十多载过去了，心上的悔如牛痘结了痂，其下生长出一层新嫩的思想——人对人的爱心应高于一切，是社会起码的也是必要的原则。当这一原则遭到歪曲时，人不应驯服为时代的奴隶。获得这种很平凡的思想，我们当年付出了怎样的代价啊！……

皇帝文化"化"了什么？

在20世纪末21世纪初的二三年里，纵观全世界的文化现象，有一种发生在中国的文化现象特别地泛滥。将这一种特别泛滥的文化现象摊放于全世界的文化现象之中来看待，进而来思考，于是便有了异乎寻常的意味。其文化的品格性质，同时便不免令人疑惑。

那就是——风起云涌般地发生在中国的皇帝文化，或曰皇权文化。这一种文化，既是关于古代历史事件的一种文化，又是关于古代政治权谋的一种文化；既是文艺的，又是娱乐的；既表现为庄重的，又表现为嬉闹的。从出版业到影视业到广告业到报刊业，所有这一切类型的皇帝文化现象，形成芜杂而多产的"滚滚皇尘"。

众所周知，它首先是从台湾刮来的。来势类似沙尘暴。代号《还珠格格》。

事实上，在《还珠格格》以前，大陆的皇帝影视剧已拍过几部，如《努尔哈赤》，如《唐明皇》，如《武则天》。严格地说，《努尔哈赤》是一部王者传，是准皇帝电视连续剧。在《还珠格格》之前，它们的收视率虽也曾创下很高的纪录，但并没有"拉动"起泛滥的文化现象，更没有形成泛滥的文化局面。

《还珠格格》在商业上大获成功之后，文化局面不同了，几乎是一时间，皇帝影视泛滥了，泡沫般在中国的文化之鼎中沸腾。以至于有的时候，电视里七八个台同时滚动播出一部或交叉播出几部。长辫子短马褂的我们的形形色色身份的前人，似乎在与我们今人同度心照不宣的文化狂欢节。

于是，在电视中，皇帝们首先成了这样一些人：他们气宇轩昂，举止潇洒，风流倜傥而又知书达理。并且，与臣子们相比，简直更富有人情味，更善于理解人。一旦与百姓接触了一下，那一种皇帝对百姓的爱心，便油然地流露出来了。他们又是些多么饱学幽默之人啊！因为他们自幼由国师授教，早已是满腹经纶，整个儿被文化浸泡得透透的了啊！他们使我们这个国家的下一代或许边看边想：唉，这些皇帝都是些多么好多么可亲可爱的人啊，尽管有时未免太过威严了点儿，可别忘了人家是真龙天子是皇帝啊！若做了我的父兄，我将多么地幸福啊！若我们的少男少女们的父兄，又恰巧是下岗者失业者，则我们尤其不敢对我们的少男少女们看时的内心深处的想法往细处寻思了！

于是，在电视中，皇帝们接着又成了这样一些人：他们雄才大略，他们坚定果敢，他们运筹帷幄决胜千里，他们治大国如烹小鲜。最主要的，原来他们是多么地为了国泰民安废寝忘食日夜操劳啊！真是不看不知道，一看才明白！原来国家有时被弄得糟透了，征战不息，哀鸿遍野，民不聊生，都是没法子的呀！不那样疆土能统一吗？不统一能有今天的偌大中国吗？做老百姓的，应该进一步明白这样一种历史常识啊——那就是，从前的皇帝，头脑里装着的，全是中国老百姓的长远利益啊！没有他们当初的英明，哪有中国老百姓今天的幸福啊！于是自己与从前的皇帝们，在今天达成了跨历史的理解。岂止是理解，简直恨不得唤他们的魂使他们回到今天的现实中来，或自己干脆想法子穿越时间隧道，去往他们的朝代，每日三敬三祝，做他们的忠顺子民。

于是，在电视中，历史成了这样的：中国的皇帝们倒是都堪称伟大的，起码接近着伟大；历史上记载的统治罪恶么，那大抵是奸臣们所为；皇帝们也有凡人的弱点啊，他们最大的弱点不过是轻信了奸臣的谗言。

而这些皇帝们，尤其是被以正剧面目推出的皇帝们，又差不多都是按照一种接近着"三突出"的文艺创作原则弄出来的。即——在矛盾斗争中，突出正面力量（以英明的皇帝为首的忠诚于他的政治力量）；在正面力量中突出主要英雄人物，皇帝们的忠臣良将是也；在主要英雄人物中，突出皇帝本人的正面形象。他们或者也有些小小不然的缺点、过失，但他们最终的形象，必须是比较地高大的。

连雍正都几乎是这样的一位皇帝了，对别的皇帝们我们还有什么话说？

而且，这些皇帝们的寿终正寝，又仿佛全都是心系百姓操心种种累死的。天下者，人民的天下。人民的天下，皇帝家承包了，为人民服务，鞠躬尽瘁。

就差没打出一行字幕来——中国人呀，怀念自己的皇帝们吧！

仅仅怀念就够了么？

当然不够。

还要向历史学习。

皇帝们的周围，上演着一幕幕多么惊心动魄的权谋之争展览了多少权术经验啊！简直丰富多彩，简直百科大全。君臣斗，臣臣斗，忠奸斗，奸奸互斗。即使皇帝与忠臣，忠臣与忠臣，也得尔虞我诈些个啊，人心隔肚皮啊！

中国的球迷和世界上任何一个国家的球迷，我以为是没什么两样子的。

但是中国某些男人们对于权谋和权术的兴趣，我以为至今仍是世界上最浓厚的一种兴趣表现。岂止是兴趣，简直还是本能。简直还善于化腐朽为神奇；善于古为今用；善于推陈出新。且能用得很活，立竿见影，游刃有余。而这一切，往往体现在作为一个21世纪的人却一无所长，除了在仕途这一条路上一条道跑到黑，一旦失意就似乎人生彻底毁败，因而惶惶不可终日的人身上。正是——"学而时习之，不亦说乎？"

在21世纪的初年，放眼世界，没有哪一个国家的文化，抽风似的向本国民众如此泛滥成灾地兜售封建政治权谋和封建官场权术，乐此不疲。也没有哪一个国家的男人们，像太多的中国男人们似的，那么地被吸引，那么地津津乐道，那么地心领神会，那么地不反感不知餍足。

相对而言，我倒宁愿我们中国的男人，兴趣转向美国大片方面去，比如《侏罗纪公园》、《异形》、《蝙蝠侠》、《星球大战》，甚至《吸血鬼》、《僵尸》什么的。

那样一些美国大片最多也不过使我们在看时变得有点傻乎乎的。

而封建权谋思想和封建官场权术，在令我们中国的男人们看了叹服的当儿，无疑污染着我们当代人的心性，使我们某些官场上的男人，变得越发地没了真话、真立场、真态度，进而连真观点也没了，变得特阴，或不阴不阳的。

观察一下我们的周围，已变得这样了的男人，为数还少么？

十年"文革"之正反两方面的经验教训还不够参考、不够学的么？

前延后续五十余年中几代人的林林总总的体会，还不够回味的吗？

当然，沙尘暴般造势而来的"滚滚皇尘"中，情形是很不一样的，一概而论则以偏概全。何况，皇帝文化或曰王朝文化，毕竟也是中国古代文化的一部分。不仅中国，外国也曾多次将他们的这种历史人物郑重其事地再现过。比如《彼得大帝》，比如《斯特凡大公爵》；比如俄国女皇叶卡琳娜和英国女皇伊丽莎白。但绝对没有在别国也形成过"滚滚皇尘"，他们的男人也绝对没有过大开眼界津津乐道的异乎寻常的表现。

在21世纪的初年，在中国正跃跃欲试准备与世界全面接轨的这个非同一般的时代，中国文化中的"滚滚皇尘"之现象，很值得沉思。也许说明着这样一点——在我们这个民族的根子上，由于长期的封建文化的浸泡，一再地容易生出一种很贱的芽。如果我们这个民族不能极其自觉地一再地削除它，则我们这个民族似乎仍只配是皇权之当代阴影下的子民……

千万别让皇帝文化"化"掉了那一种自觉！

羞于说真话

一生没说过假话的人肯定是没有的。

故我认为尽量说真话，争取多说真话，少说假话，也就算好品质了。

何况我们有时说假话，目的在于息事宁人。有时真话的破坏性，是大于假话的。这个道理我们都很明白。

但如果人人习惯于说假话，则生活必就真假不分了。

然而我却越来越感到说真话之难。并且说假话的时候越来越多。仿佛现实非要把我教唆成一个"说假话的孩子"不可。

说真话之难，难在你明明知道说假话是一大缺点，却因这一大缺点对你起到铠甲的作用，便常常宽恕自己了。只要你的假话不造成殃及别人的后果，说得又挺有分寸，人们非但不轻蔑你，反而会抱着充分理解充分体谅的态度对待你。因此你不但说了假话，连羞耻感也跟着丧失了。于是你很难改正说假话的缺点。甚至渐渐麻木了改正它的愿望。最终像某些人一样，渐渐习惯了说假话。你须不断告诫自己或被别人告诫的，倒是说假话的技巧如何？说真话还是说假话的选择倒变得毫无意义了似的。

记得我小的时候，家母对我的第一训导就是——不许撒谎。

因为撒谎，我挨过母亲的耳光。

因为撒谎，母亲曾威逼着我，去请求受我骗的人原谅，并自己消除谎话的影响。

"文化大革命"中，我学会了撒谎。倒也没什么人什么势力直接压迫我撒谎，更主要的是由于撒谎和虔诚连在了一起。说学会了也不太恰当，因为没人教，就算无师自通吧。

有一天我和同学中的好朋友从学校走在回家的路上，谈起了"林副统帅与毛主席井冈山会师"。

我说："是朱德嘛！怎么成林副统帅了？咱们小学六年级的历史书上，明明写的是朱德对不对？"——因朱总司令已上了"百丑图"，我们提到他时，都将"总司令"三字省略了，直呼其名。

同学说："那是被颠倒的历史。被颠倒的历史现在重新颠倒过来嘛！"

我说："那也不对呀，林彪当时才是连长呀！"

同学说："那也是被颠倒的历史，现在也应该重新颠倒过来嘛！"

我说："当年咱们又不在红军的队伍中，咱们怎么能知道那真是被颠倒的历史呢？"

同学说："当年咱们又不在红军的队伍中，咱们怎么能知道那不是被颠倒的历史呢？咱们左右都是不知道，将来再颠倒一次，也不关咱们的事儿！"

正是从那一天始，我和我的那一位同学，将撒谎和虔诚分开了。难免继续说谎话，但已没了虔诚。

前几年，有位外国朋友，问我在"文化大革命"中说假话时有何感想。

我回答："明明在说假话而不得不说，我是这样安慰自己——反正人一辈子总要说些假话，赶上了亿万群众轰轰烈烈都说假话的年代，把一辈子可能说的假话，一块都在这个年代里说了罢！这个年代一过去，重新做人，不再说假话就是了。"

外国朋友又问："那么梁先生从粉碎'四人帮'以后，再没说过假话了？"

问得我不由一怔。

犹豫片刻，我说出一个字是："不……"

我因自己没有失掉一次说真话的机会，对自己又满意又悲哀。

外国朋友流露出肃然起敬，钦佩之至的表情。

我赶紧说："我说'不'的意思，是我没有做到不说假话。"

我想，如果我不解释，我说的这一个字的真话，实际上岂不又成了假话么？

外国朋友也不由一怔。

她问："那又是因为什么？"

我说："一方面，我感到并不是所有的地方都已经有了一个维护真话的良好环境。另一方面，大概要归咎于我们有说假话的后遗症。"

她问："报纸、广播，不少宣传手段，不是都曾被调动起来，提倡、鼓励和表扬说真话么？"

我说："这恰恰证明假话之泛滥是多严重啊。倘若说真话须郑重地提倡、鼓励和表扬，细想想，不是有点可悲么？"

她问："妨碍说真话的根源，主要是政治吧？"

我说："那倒不尽然。在党内，将说真话，作为对党员的最基本要求一提再提，足见共产党还是多么希望她的党员们都说真话的。我不是党员，但对此确信不疑。而我感到，社会上，似乎弥漫着将说假话变成一种社会风情的怡然之风。"

她不懂"怡然"二字何意。

我请她想象小孩子玩"到底谁骗谁"这一种纸牌游戏获胜时的洋洋自得。

她说:"梁先生,可是据我所知,你被认为是一个坚持说真话的人啊!"

我说:"我当然坚持说真话。坚持并不是一个轻松的词。况且我常常坚持不住。在上下级关系方面,在社交方面,在工作责任感方面,在一心想要做好某件事的时候,在根本不想做某件事的时候,在不少方面,不少因素迫使你就范,不得不放弃说真话的原则,改变初衷,而说假话。常常是,哪些时候哪些方面有困难有问题,你说了假话,困难和问题就迎刃而解了。你说了真话,困难就更是困难,问题就更是问题了。我说过多少假话只有我自己最清楚。我仅仅在某些时候某些场合说过一些真话,人们就已经觉得我有值得尊重的一面,可见说真话在我们的生命中到了必须认真提倡的程度。"

她注视着我,似能理解,亦似不太能理解。

……

后来,我和一位友人又讨论起说真话的问题。是的,我们是当成一个问题来讨论的,而且讨论得挺严肃。

我又回忆起我小时候因为撒谎,使得母亲怎样伤心哭泣,以至于怎样打了我一记耳光,和对我进行过的撒谎可耻的教诲……

我讲到我的已经七十多岁的老母亲,如今怎样仍把我当成一个小孩子似的,耳提面命,谆谆告诫我:"傻儿子,你竟为什么非说真话不可呢?该说假话你不说假话,你岂不是不见棺材不落泪,不碰南墙不回头么?你已经四十出头的人了,还让妈为你操心到多大岁数呢?"

友人默想良久,严肃而又认真地说:"你母亲是对的。"

我问："你是说我母亲从前对，还是说我母亲现在对？"

他说："你母亲从前对，现在也对。"

我糊涂至极。

他诲人不倦地说："撒谎是可耻的。这毋庸置疑。所以我说你母亲从前是对的。但说假话并不等于就是撒谎。甚至，和撒谎有本质的区别。"

这一点，我的确没思索过。

我一向简单地认为，撒谎——说假话——乃是同性质的可耻行径。好比柑和橙是同一种东西。

于是我洗耳恭听。

于是友人娓娓道来："撒谎，目的在于骗人，在于使人上当而后快，是行为。行为，听明白了么？撒谎之后果必然造成他人的损失，起码是情绪或情感损失。更严重的，造成他人利益损失。所以正派人是不应该撒谎的。而说假话，不过心口不一而已。心口不一不是严格意义上的行为概念。通常情况之下体现为态度问题。一个人对于任何一件事，有表明自己真态度的权利，也有说假话的权利。听明白了，说假话是人的权利之一。假话是否使对方信以为真，以及在多大程度上影响了对方，责任完全在对方。因为任何人都有不相信假话的权利。谁叫你相信的呢？举一例子，我们小学都学过《狼来了》这篇课文，那个撒谎的孩子之所以应该谴责，不可取，是因为他以主动性的行为，诱使众多的人上当受骗。如果你一个同事告诉你，他在西单商场买了一件价格便宜的上衣，并用花言巧语怂恿你去买，你果然去了，没有那种上衣出售，或虽有，价格并不便宜，是谓撒谎，很可恶。但是，说假话的人之所以说假话，往往是被动的选择，通常情况是这样的——一个人指着一个茶杯问你——造型美观么？你认为不。但你看出了对方在暗示你必须回答美观极了，于是你以假话相告。你又何必因说了假话而内疚呢？如果对方具有问你的权利，你连保持沉默的权利也没有，而对方又问得声色俱厉，带有警告的意味，你更何必因说了假话而内疚呢？如果对方信了你的话，那么对方只配相信假话。如果对方根本不信你的假话，却满意于你说假话，分明是很乐意把假话当真话听，可悲的是对方，应该感到羞耻的也是对方。对应该感到羞耻而不感到羞耻的人，你犯得着跟他说真话么？老弟，你看问题的方法，带有极大的片面性。你只看到人们在生活中说假话的一面，似乎没有看到生活中有多少人喜欢听假话。早已习惯于把假话当做真话听。他们以很高的技巧，暗示人们说种种假话，鼓励人们说种种假话，怂恿人们说种种假话，甚至维护种种假话。他们乐于生活在假话造成的氛围之中。他们反感说真话的人。因为真话常使他们觉得煞风景，觉得逆耳。一万个人或更多的人心口不一他们根本不在乎。他们要的是一致的假话而轻蔑一致的人心。正是这样一些人的存在，使假话变成了似乎可爱的现象。所以，与其惩罚说假话的人，莫如制裁爱听假话的人。因为少了一个爱听假话的人的同时，也许就少了一批爱说假话的人。人们变得不以说假话为耻，首先是由于有些人变得以听假话为荣啊！另外，老弟，因为咱俩是朋友，我向你提几个问题，你坦率回答我……"

我似乎茅塞顿开，有所省悟，又似乎更加糊涂，如坠五里雾中，只说："请讲，请讲。"

"你说真话时，是不是感觉到一种做人的尊严？"

我说是的。

"当别人都说假话时，你偏想说真话，以说真话而与众不同，并且换取尊重，这是不是一种潜意识方面的自我表现欲在作祟呢？"

我从未分析过自己说真话时的潜意识，倒是常常分析自己说假话时的潜意识。尽管我似乎觉得"作祟"二字亵渎了人说真话时自然、正常而又正派的冲动，但也同时尊重潜意识之科学理论。犹豫了一下，我点了点头。

"难道出风头就比说假话好到哪里去么？"

"强词夺理！……"我终于按捺不住内心的气愤了。

友人自然是不屑与我斗气的。友人嘛。

他笑曰："瞧你瞧你。也听不得真话不是？一听真话也羞也恼也要跳不是？能听得进真话并不是舒服的事哩，是一种特殊的，有时甚至非强制而不能自觉的训练啊！"

一番话，倒真把我说得虽恼羞而又不好意思成怒了。友人谈锋甚利，其言自是，又道："你不要以为别人不说真话，便一定是怎样的观风使舵。其实，不屑于而已。与人家的不屑于相比，你自己每每足令大智若愚者扼腕叹憨罢了！"

友人辞去，我陷入前所未有的困惑。

后来，我又向几个惯常说假话，却又能与我推二三层心至腹外之腹的人请教。

皆答曰：

懒得说真话。

何必说真话？

说真话，图什么？

我相信他们对我说的话句句是真话。所谓酒后吐真言。为了这样一些真话，我奉献出了几瓶真的而不是假的好酒。还有佐酒菜。

从此，我观察到，假话是可以说得很虔诚，很真实，很潇洒，很诙谐，很郑重，很严肃，很正确，很令人感动，很精彩，很精辟的。

从此，每当我产生说真话的冲动，竟有几分羞于说真话的腼腆，在意识——当然潜意识中作梗了！

后来我做过一个梦：我因十二条大罪被判十二年徒刑。我望着法官们的面孔，觉得他们一个个似曾相识。我看出他们明知所有大罪都是无中生有，但他们一个个以假话把它说成是真的。他们那些假话同样说得水平很高，包容了我从生活中观察到的一切形式完美的假话之最……

我忍无可忍咆哮公堂大喝一声——可耻！

于是我醒了。

我愿人人都做我做过的这个梦。那么人人都不难明白，仅仅为了自己，也断不该欣赏假话，将说假话的现象，营造成生活中氤氲一片的景致。

无奈在非说假话不可的情况之下，就我想来，也还是以不完美的假话稍正经些。

不完美的假话仍保留着几分可矫正为真话的余地啊！……

关于良心之断想

书名已告诉我们，这是内容关于良心的书。

所谓良心，无非便指良好的心地。

与"心"结构而成的词颇多，然我尤对"心地"二字一向肃然。

"心地"是特别中国化的词，较有文学意味。在民间，每说"心肠"。民间评论某人心地善良，道是"心肠软"。反之，曰"心肠歹毒"。

善与不善，归究于心，我们早已习惯这一古老逻辑；但是与肠扯到一起，细思忖之，似乎总觉勉强。

然民间话语，其恰当必有独到之处；一个"软"字，极贴切。"心一软"，无非指人性之恻隐耳。

地生百千万物，"心地"一词，表意宏大。善、美之物，由地生之。丑、恶之物，亦由地匿。大地的一种现象是，凡那美、善之物，往往存在于光天化日之下。即使活动隐蔽，也断不至出没于阴暗、潮湿、腐败、肮脏之隅。几乎只有丑恶之物才那样：如蛇、鼠、蚊、蟑螂、蛆、毒蘑及一切对生命有害的菌……

"心地"诚如大地：美善的与丑恶的两类心态并存。故古今中外之文化、宗教，发挥一切积极的影响作用，为使人类总体上是有良心的。人类有无良心，决定每一个活得像人还是像兽。有无良心的前提是有无良知。良知其实便是一些人作为人应该秉持的良好的道理、道德。于是，有良知者有良心，有良心者，"心地"充满阳光，美好似花园。这样的一个人，即使平凡，也是可敬的。即使贫穷，也有愉快。文化和宗教对人"心地"的积极影响，体现着人类对自身的关爱，也可以说是救赎。宗教之原罪思想并不是将原罪强加于人的思想，而是提醒人"心地"是需要清扫的。正如病理学家告诉我们：人体内天生潜伏着各种癌细胞，但只要我们保持良好的生活方式，癌症的发作是可以避免的。

中国的情况有些不同。中国古代的思想家们，无论这一派或那一派，也都是关注良心问题的。甚至，将良心问题上升得很高，曰"天良"。对于恶人的最概括的指斥，便是"丧尽天良"。良知在古代，又被归纳为我们都知道的仁、义、礼、智、信。而这五个字，其实便是"厚德载物"之"德"的基本内容。

然而到了近代，一辈辈的中国人看分明了——天下只不过是皇家的天下；"德"在统治阶级那里，只不过成了"礼"的代词。而"礼"，又只不过是他们延续统治的一种术。他们对百姓，不讲仁，不讲义，也不讲信；而只讲"智"，企图以他们的"智"永远地愚民。于是良知被疑，本应成为社会共识的良心，反之变成某些不甘良心泯灭的人士的自我要求。当一个社会这样了，讲良心的声音似乎便是不合时宜的声音了，讲良心的人就孤独了。

"五四"运动，无非要达成两件事——一曰改革国体；二曰开启民智。前者为使国家成为公民的国家，后者为使社会重构起新一种"德"取向。然条件不成熟，志士流血，文人失望，事倍功半。

军阀割据，狼烟四起，"城头变幻大王旗"。哀鸿遍野不是宣讲良心的时候，生存是第一位的。

至"九·一八"，日寇猖獗，国将不国，抗战遂成国人第一良心。

勇者御敌，才不至于中国人都沦为亡国奴。其他良心，不得不往后摆摆。故当时宣传抗日的学生，振臂高呼之语中每有这么一句——"有良心有血性的中国人，我们要……"

到了1949年以后，似乎终于可以讲讲良心问题。发展到后来也不能，为了巩固和维护阶级的专政，于是批判文化中的人性论，将人道主义贴上资产阶级的标签。连人性也不许讲了，连人道主义也视为有害无益的主义了，那么"良知"、"良心"这一类词，便只有从中国人的词典中被剔除了……

"文革"是怎样的一个时代，无须赘述。

80年代，文化和文学，显然也又要重构社会的良知价值取向。然知识者们伤痕犹疼，心有余悸，战战兢兢，并未完成那一初衷。

90年代中国迈入了商业的时代，于是大讲"优胜劣汰"，信奉起金钱万能、胜者通吃来。我认为，将商场规律泛化向全社会，实际上是"泛达尔文主义"至上，这才是有百害而无一益的。

现在，我面对的这一本书，开宗明义地讲良知问题，我觉得，无论讲得怎样，终究是有些必要的。故我愿为这样的一本书作序。

这书中举了一桩桩违背良知之事，有些事当初我便从报上读到过。然今日读来，心灵仍受冲击。

我在此讲两件有良知的事吧，算是对此书内容的补充：

许多人都知道的，费孝通先生是潘光旦先生的学生，费先生一向极为尊敬潘先生。"文革"期间，潘先生一家被逐出原址，居一小屋，摆不下床，全家铺席睡在水泥地上，潘先生由而关节病愈重，何况他自幼还残疾了一腿。那时费先生也早已成为"右派"，与潘先生为邻。他心疼他的老师，亲手为老师织毛袜子。某夜潘先生腹痛难忍，费先生家中又没有任何药，只得将老师拥抱怀中。而潘先生，就在学生的怀中咽了最后一口气……

费孝通先生，即使在疯狂的暴力盛行的年代，内心良知之烛不灭也。

傅雷先生夫妇不堪凌辱，双双吸煤气死后，无人认领的骨灰，三日后将被处理，也就是当垃圾扔掉。有位上海的江姓女士，是一位普普通通的市民，然读过傅先生的书，心存敬意。是以前往火葬场，极力争取，要得傅雷夫妇的骨灰，冒险予以保藏。她因为同情傅雷夫妇的言论，自己也被打成了"现行反革命"。"文革"结束，傅雷二子自国外归，从江女士处得父母骨灰，极欲给予物质报答。江女士坚拒之，最后仅答应接受一张傅聪专场音乐会的门票。甫一结束，悄然而去，从此遁出傅氏兄弟的视域。

良知几重？它像灵魂一样，无秤可称……

然而，若人世间全无了良知，那样的人世，又究竟有什么值得留恋的呢？

我想，本书两位作者的意图，也正是要表达这么一种意思吧？

（本文是作者为《拷问VS拯救》良心丛书所作序言）

关于"跑官"

"跑官"也就是四处托朋友，找关系，探后门儿，傍权势，为自己当官走捷径的勾当。不知它是老百姓对此现象的形容，还是某些人自身的经验总结，总之已成了一个人们都懂的词。

时下新词层出不穷，"跑官"一词属于一个小的"系列"。相应的就有了"亮话儿"与"潜颂"二词。

略一想，其实"跑官"也算不上新词。古时候中国的官场上就有此种现象，只不过不叫"跑官"，叫"捐官"。"捐官"就是买官。买官也要托朋友，找关系，探后门儿，傍权势的。否则花了金子银子，却不一定能买到理想的官位。理想的官位，对古时候想要买官的人又叫"肥缺"。

"缺"就是空着，"肥"当然指有"油水儿"，有"捞头儿"。

中国也大，需官也多，说缺便缺。明明不缺，也完全可以再为"捐官"的人们虚设些"缺"。"捐官"之人终于圆了官梦，皇帝老儿收了金银，所谓两全其美，"按经济规律办事"。"捐官"也是一种经济投资。若"捐"得一个"肥缺"，三五年内，所花的"成本"收回，以后就白赚了。所以古时候那"捐"成了官的人，上任伊始，十之八九大肆搜刮民脂民膏。他们"捐官"，才不干"赔本赚吆喝"的事呢。中国文字有学问，明明是一方买一方卖，却偏要说成"捐"，仿佛慈善行为。一个"捐"字，使皇帝老儿卖得体面，使"捐官"的人们买得体面。

"跑官"的"跑"字也用得好，活脱儿道出了那一种急促、忙碌和辛苦。时代毕竟进步了，处处有竞争。"跑"得不及时，别人"跑"在前头，捷足先登，岂不悔之晚矣！

由"跑官"现象，使我常联想到这么一件事：美国第28任总统伍德罗·威尔逊，曾任新泽西州州长。在他任职期间，一天晚上，有人打电话通告他，一位本州的参议员去世了。

威尔逊还没从悲痛中恢复过来，电话又响了。这次来电话的是本州的一位著名政客。

政客直言不讳地说："州长先生，我想代替那位参议员。"

人刚死，消息还未见报，追悼会还没开，便迫不及待地想"代替"了，及时得没法儿再及时。

威尔逊沉默片刻，冷冷地回答："如果真能那样，再好也不过了。只要殡仪馆不反对这件事，我本人完全同意。"

威尔逊之幽默的艺术，一点儿也不比中国文人弄文字差劲儿。

至于"亮话儿"一词，是指说得"帅"，说得"酷"。说得"满"而"漂亮"。

一秀才死了，想在阴间圆官梦，故一心取悦阎王。阎王偶放一屁，秀才即兴献"屁颂"一篇曰："高竦金臀，弘宣宝气，依稀乎丝竹之音，仿佛兮麝兰之味，臣立下风，不胜馨香之至。"

此即"亮话儿"一例，乃"跑官"者必备之技巧。

某科长向处长，或某处长向局长提"意见"，霍地站起来，急赤白脸，朗朗大声曰："我不怕穿小鞋！我不怕打击报复！这意见闷在我心里很久很久了！今天当着众人大家的面，我是非提不可！……我的上级

114

你呀你……你为了工作，怎么可以全然不顾惜自己的身体啊！……"

此乃"潜颂"之一例。似乎相声里用作过"包袱"的。

也乃"跑官"者必备之技巧。

每一组新词儿的出现，都至少意味着又一种新世相的产生。通过那些新词儿，看那些新世相，再古今中外地联想联想，挺好玩的呢……

站直了，不容易

有一部国产影片的片名叫《站直啰，别趴下）,反映的是中国小知识分子的俗常生活形态。

这部影片的片名每使我联想多多。

像世界上一切封建帝王统治史漫长的国家一样，中国也是一个"官本位"影响深厚久远的国家。于今，其影响虽已缩敛，但仍强劲地左右着许多中国人，包括许多大小知识分子的命运状况。故中国人，以及中国大小知识分子头脑中一再滋生出犬儒思想的陋芽，并玩世地将犬儒思想的方式，当成一种成熟，一种人生的大智慧，一种潇洒似的活法，委实也是可以理解，甚至应予体恤的。在"官本位"的巨大投影之下，从献身于官体制的官们，到依存于官体制的大小知识分子们，到受治于官体制的庶民百姓们，谁想站直了，都非是容易之事。相反，千万别站直了，倒真的是一种有自知之明的表现。而且，只要习惯了，感觉也不是多么地不好。有时甚至会获得较好的很好的感觉。会获得比企图站直了还好的感觉。

由这一种见怪不怪的现实，又每使我联想到谢甫琴科。众所周知，谢氏生长在农奴家庭，从小失去双亲，孤苦伶仃，实际上便开始做一个小农奴。尽管他的身份似乎比农奴高一等，叫"使唤人"。

后来，他成为乌克兰民族的画家和诗人，名声远播，于是受到沙皇的召见。

其时，宫殿上文武百官都向沙皇三躬其腰，口出颂词，唯谢甫琴科一人挺身于旁，神情漠然。

沙皇愠怒，问："你是什么人？"

诗人平静地回答："我是塔拉斯·格里戈里耶维奇·谢甫琴科。"

沙皇又问："你不向我弯腰致敬，想证明什么？"

诗人不卑不亢地回答："陛下，不是我要见您，是您要见我。如果我也像您面前这些人一样深深地弯下腰，您又怎么能看得清我呢？"

……

这一次召见，决定了诗人一生的命运。

如果，他和沙皇面前的那些人一样；如果，他哪怕稍微装出一点儿卑躬屈膝——这在当时实在算不上什么耻辱，许多比他声名显赫的人物都以被沙皇召见过为莫大荣幸——那么他也许将从此成为沙皇的宠儿。

但是由于他的桀骜不驯（这乃是由于他的出身和经历，从一开始就在他内心里种下了轻蔑王权的种子），使他几乎一生都成为沙皇耿耿于怀的人。

在王权的巨大投影之下，无论什么人，若想站直了，就必付出代价。

谢氏为此付出过代价。

法国的雨果也为此付出过代价。

还有俄国的普希金。

还有许许多多在王权的巨大投影之下企图站直了的人……

民主之所以对于人民毕竟是好事，就在于它彻底驱散了王权的巨大投影之后，使人人都有可能从心理上获得解放，弯腰与不弯腰，完全出于自愿，出于敬意的有无，而根本不必假装做戏。倒是反过来了，有权之人，每每在人民面前作秀，以获得人民的好感。因为人民几乎无时无刻都有资格以民主的名义理直气壮地说："你的权力是我们给的，我们想收回给予别人，便可以那样做！"

王权巨大投影之下的任何人，却不得不经常告诫自己："我现有的一切是王权的代表者们给的，他们想把它缩减到多么小的程度就可以把它缩减到多么小的程度。他们一旦想收回它，不愁没有正当的理由。"

中国的民主局面，法制成就，近年发展得很快，有目共睹。

但我们中国人毕竟在王权的巨大投影之下弯腰弯得太久了，似乎成了一种遗传病，鼓励站直了，许多人可能一时反而不习惯，感觉反而不自然。

扫描社会，观察这种现象，所见是非常有趣的。

"我认识××厂长！"

"我认识××处长！"

"我认识××局长！"

"我认识××部长！"

在社会的各个阶层中，都时常会听到这样一种炫耀。而其炫耀，效果往往又立竿见影。仿佛炫耀者本身，顿时脑后呈现七彩光环似的。倘不直接认识官员们，那么认识他们的秘书、儿女、三亲六戚，也似乎足以令人刮目相看。尤以认识官员们的夫人，最是资本。

中国人公开宣布自己拥有这些特殊关系时，其实是想证明——我是一个有条件站直了的人！但所认识的官员一旦"趴下"了，或从官体制中隐退，一度站直了的某些中国人，又必然会一如既往地弯下腰。于是他赶紧弯下腰去认识另外的官。因为他毕竟曾靠认识官而站直过，体验了站直的感觉之良好……

如今，一个中国人站直了，已不须付出以往时代那种代价。那种代价太沉重，有时甚至很惨重。在中国以往的时代，只有几千万分之一的人尝试过。

但如今，一个随时准备弯下腰的中国人，依然肯定比一个随时准备"站直"了的中国人获益多多。

某一天这种情况反过来，中国就将成为一个前途更为光明的国家了……

论敬畏

畏是连动物也有的表现。畏极于是害怕；怕极于是恐惧。

畏之表现，不敢轻易冒犯耳。

此点在动物界，比在人类社会更加司空见惯。因所谓动物界，乃杂类同属。而人类的社会，毕竟是同类共处。

在动物界，大到虎豹狮熊，象犀鳄蟒，小到蜈蝎螳螂，甲虫蝼蚁，若遭遇了个碰头对面，倘都是不好惹的，并且都本能地感到对方是不好惹的，便相畏。常见的情况是，彼此示威一番之后，各自匆匆转身而去。

在人类，这种情形每被说成是——各自心中掂量再三，皆未敢轻举妄动，明智互避。

确乎，此时之互避，实为明智选择。

但如果一方明显强势，一方明显弱势，那么无论在动物界还是在从前的人类社会，后者之畏，不必形容。

为什么要强调是从前的社会呢？

乃因从前的社会，人分高低贵贱的种种等级。这一种分，延及种族、姓氏与性别。

在奴隶社会，奴隶见到奴隶主，是不可能不畏的；在封建社会，小官见到大官、大官见到皇帝乃至皇亲国戚，也是不可能不畏的；在种族歧视猖獗时代的美国，黑人远远望见白人，通常总是会退避开去的。大抵如此。

在特别漫长的历史时期中，畏是人类社会的潜规则，也是人类心理的一种遗传基因。故那时的"民"，快乐指数是很低的，须活得小心谨慎，战战兢兢。因为他的天敌不但有动物界凶猛邪毒的大小诸类，还有天降之灾，更有形形色色自己的同类。"宦海多厄"、"如履薄冰"、"官大一级压死人"、"伴君如伴虎"，这些文言俗语，或是受畏压迫的官们的自白，或是看得分明的非官场人士们的观察心得。官们尚且活得如此不潇洒，百姓们又哪里来的多少快乐呢？故很久很久以前的"民"，又被称为"草民"、"愚民"、"贱民"。不仁的权贵者可践踏也，可羞戏也，可欺辱也。

现代了的人类社会的标志之一是人格的互尊，人权的平等。人格是译语，最直接的意思其实是"界"，暗示着"彼人也，吾亦人也，同属'人'界，勿犯于我"的思想。一言以蔽之，"天赋人权"，人皆站在同一地平线上。

由是，在人类的社会中，人畏人的现象，便渐渐少了许多。

人遭动物的进攻和伤害的几率少了；人对自然灾害的预知能力提高了，抗击能力增强了，控制能力加大了；人对人的畏，如上所述，也几乎全变成历史记忆了——那么，人是否就可以变得天不怕地不怕了呢？

人类感到人类还不应该这样。

因为现代了的人类，头脑是更智慧了。而天不怕地不怕是反智慧的，正如宇宙是无边无际的不符合人的逻辑思维。

于是我们人类从以往的宗教中、文化中、习俗中，筛选出某些仍有必要保留，保留将有益无害的成果，加以补充，加以修正，加以完善，加以规范，使之成为原则，并以另一种畏的虔诚态度对待之，便是敬畏。

由畏而敬畏，意味着一种主动，也意味着一种更温暖的情怀之成熟。

值得人类敬畏的事已经不多了，却更有质量了。

比如法律，人类每曰之为"神圣的法律"。法律无情，故人畏之；法律公正，故人敬之；法律的天平一旦歪斜，全社会的心理平衡便紊乱了。

所以人需要对法律保持敬畏。这种敬畏符合普遍之人的理性。

但世界上所有的法典加在一起，也还是不能尽然解决人类社会的全部是非问题。有相当多归不进法律的是非问题，依然和人类的心是怎样的有关。

所以除了法律，人类的文化主张还要敬畏良心的谴责。良心者，好的心。善为好，故良心首先是善良的心。倘不善良，一颗搏动了八十年的心，即使还像运动健将的心一般跳得强劲有力，那也只能说是一颗好的心脏而已。这样的人，是没良心可言的。没良心可言的人难以长久，虽不好但也不至于坏的人，其坏是迟早之事。因为，他以为他没犯法，而实际上，他已站在法律电网的边沿，任何一阵诱惑的风，都极可能使他跌入犯法的罪过坑里。并且，站在法律边沿之人，每有一种试探法律权威的冒险念头，以及擦边而过的侥幸者的沾沾自喜，这也都是最终导致其跌下去的原因。

良心不在法律的边上。良心在法律的上空，无时无刻地照耀着法律。故良心又叫"天良"。虽无形，但有质。倘无良心的照耀，连法官也会成为坏法官，结果导致法律腐败。

故，人类也要敬畏天良之谴责。

生命不仅对人只有一次，对一切生物也只有一次。故一切使地球现象丰富的、美好的、有趣的生物，不但是宝贵的，而且具有神圣性。除了不仅有害于人类，同时也有害于绝大多数别种生物的害虫、病菌，人也应对一切生命予以珍视。爱一物之生，怜一物之死。此曰敬畏生死。敬生不等于畏死，畏死乃指不敢于轻生。既不轻人类自己的生，也不轻别种生物的生。并且，连对尸体也当尊重。

"天地有定律，四季有成规，万物有法则。"人还应敬畏于自然界的秩序。急功近利地或无端地破坏自然秩序的行为，将使人类受到严厉惩罚。所幸，今日之人类，对此已有共识。

敬畏非是由畏而敬。害怕的心理，其实不能油然转化为敬意。敬畏乃指由敬而生的尊重，不是畏别的，畏己之冒犯之念也。

一个人也罢，一个民族也罢，一个国家也罢，倘几乎没有什么敬畏，是很可怕，最终也将是很可悲的。

我们中国，时至今日，是有敬畏之心的人多呢，还是无敬畏之心的人多呢？

这是一个我们中国人必须正视，并且必须作出诚实回答的问题。由此想到——几年前，有轻生少女犹豫于高楼，我同胞围观，"白相"者众，且有人喊："姐们儿快跳啊，别让大家等急了！"

由此想到——不久前，七八个大学学子为救溺水儿童，其中三人献出宝贵生命，所谓"捞尸船"上的人，竟以铁钩钩肤、绳索系腕，任几小时前还是朝气青年的尸体浸泡江中，却指手画脚，狮子大张口，在船头、岸上抬高其价！

那三名大学生孩子，真是死得让人心疼，死后还让人心疼！

那些个"捞尸人"，那样子对待同胞，那样子对待同胞中的殉身的孩子，还有半点儿天良吗？

这等事，我敢说，除了发生在中国，在21世纪的今天，断不会再发生于别的任何文明国家。

鲁迅说："救救孩子！"

而我要说："救救大人！"

谁帮中国的某些大人们，找回敬畏之心，找回天良？！

连大人都越来越丧失了的，又凭什么指望我们的孩子们会自然而然的有？！……

清名

倘非子诚的缘故，我断不会识得徐阿婆的。

子诚是我学生，然细说么，也不过算是罢。有段时期，我在北京语言大学开"写作与欣赏"课，别的大学的学子，也有来听的；子诚便是其中的一个。他爱写散文，偶作诗，每请我看。而我，也每在课上点评之。由是，关系近好。

子诚的家，在西南某山区的茶村，小。他已于去年本科毕业，就职于某公司。今年清明后，他有几天假，约我去他的老家玩。我总听他说那里风光旖旎，经不住动员，成行。

斯时茶村，远近山郭，美仑多姿。树、竹、茶垅，浑然而不失层次，绿如滴翠。

翌日傍晚，我见到了徐阿婆。

那会儿茶农们都背着竹篓或拎着塑料袋子前往茶站交茶。大叶茶装在竹篓，一元一斤；芽茶装塑料袋里，二十元一斤。一路皆五六十岁男女，络绎不绝。七十岁以上长者约半数，年轻人的身影，委实不多。尽管勤劳地采茶，好手一年是可以挣下五六千元的，但年轻人还是更愿到大城市去打工。

子诚与一老妪驻足交谈。我见那老妪，一米六七、八的个子，腰板挺直，满头白发，不矜而庄。

老妪离去，我问子诚她的岁数。

"八十三了。"

"八十三还采茶？！"

我不禁向那老妪背影望去，敬意油然而生。

子诚告诉我——解放前，老人家是出了名的美人儿。及嫁龄，镇上乃至县里的富户争娶，或为儿子，或欲纳妾；皆拒，嫁给了镇上一名小学教师。后来，丈夫因为成分问题，回村务农。然知识化了的男人，比不上普通农民那么能耐得住山村的寂寞生活，每年清明前，换长衫游走于各村"说春"。当年当地，农村人大抵文盲，连黄历也看不懂的。她丈夫有超强记忆，一部黄历倒背如流。"说春"就是按照黄历的记载，预告一些节气与所谓凶吉日的关系而已。但一般告诉，则不能算是"说春"。"说春人"之"说春"，基本上是以唱代说。不仅要记忆好，还要嗓子好。她的丈夫嗓子也好。还有另一本事，便是脱口成秀。"说"得兴浓，别人随意指点什么，竟能就什么唱出一套套合辙押韵的掌故来，百难不倒，像是现今的"RAP歌手"。于是，使人们开心之余，自己也获得一碗小米。在人们，那是享受了娱乐的回报。在他自己，是一种个人价值体现的满足。所谓与人乐乐，其乐无穷。不久农村开展"破除迷信"运动，原本皆大开心之事，遂成罪过。丈夫进了学习班，"说春人娘子"一急之下，将他们的家卖到了仅剩自己穿着的一身衣服的地步，买了两袋小米，用竹篓一袋一袋背着，挨家挨户一碗碗地还。乡亲们过意不去，都批评她未免太过认真。她却说——我丈夫是"学知人"，我是"学知人"的妻子。对我们，清名重要。若失清名，家便也没什么要紧了。理解我的，就请都将小米收回了吧！……

工作组长了解到那一情况，愕然，继而肃然。对其丈夫谆谆教诲了几句，亲自送回家，并对当年的阿婆好言安抚……

我问现在她家状况如何？为什么还让八十三岁的老人家采茶卖茶呢？"

子诚说："阿婆得子晚，六十几岁时，三十几岁的独生儿子病故了。媳妇改嫁，带着孙子远走高飞，早已断了音讯。从那以后，她一直一个人过活。七八年前，将名下分的一亩多茶地也退给了村里……"

"这么大岁数，又是孤独一人，连地都没了，可怎么活呢？"

"县里有政策，要求县镇两级领导班子的干部，每人认养一位农村的鳏寡高龄老人，保障后者们的一般生活需求，同时两级政府给予一定补贴……"

我不禁感慨："多好的举措……"

不料子诚却说："办法是很好，多数干部也算做得比较有责任。但阿婆的命太不好，偏偏承担保障她生活责任的县里的一位副县长，明面上是爱民的典范，背地里贪污受贿，酒色财赌黑，五毒俱全，原来不是个东西，三年前被判了重刑……"

我一时失语，良久才问出一句话是："黑指什么？"

"就是黑恶势力呀。"

我又失语，不想再问什么，只默默听子诚说："阿婆知道后，如同自己的名誉也受了玷污似的，一下子病倒了。病好后，开始替茶地多的人家采茶，一天采了多少斤，按当日茶价五五分成。老人家眼力不济了，手指也没了准头，根本采不了芽茶，只能采大叶茶了，早出晚归，平均下来，一天也就只能挣到五六元钱。她一心想要用自己挣的钱，把那副县长助济她的钱给退还清了……"

"可……这……难道就没有人认为应该告诉老人家，她完全不必那样做吗？……"

仿佛被割掉了舌的我，终于又能说出话来。而且，说得激动。

"许多人都这么劝过的，可老人家她听不进去啊。"

子诚的话，却说得异常平静。

不待我再说什么，问什么，子诚的一句话，使我顿时又失语了。

他说："今年年初，老人家患了癌症。"

我，极愕。

"几乎村里所有人都知道了。她自己也知道了。不过，她装作自己一点儿也不知道的样子，就着自己腌的咸菜，每日喝三四碗糙米粥，仍然早出晚归地采大叶茶。有人说，那是因为她岁数大，脏器都老化了，所以不觉得多么疼了……他们的说法有道理么？……"

"我……不太清楚……"

我的确不太清楚。

我心愀然。进而，怆然。

那天晚上，我要求子诚转告老人家，有人愿意替她"退还"尚未"还"清的一千二三百元钱。

子诚说："转告也是白转告……"

我恼了，训道："明天，你必须那么对她说！"

第二天，还是傍晚时，我站在村道旁，望着子诚和老人家说话。才一两分钟后，二人的谈话便结束了。老人背着竹篓，尽量，不，是竭力挺直身板，从我眼前默默走过。

子诚也沮丧地走到了我跟前，嗫嚅道："我就料到根本没用的嘛……"

"我要听的是她的原话！"

"她说，谢了。还说，人的一生，好比流水。可以干，不可以浊……"

我不禁再次失语，竟至于，羞愧极了。

……

以后几日的傍晚，我一再看见徐阿婆往返于卖茶路上，背着编补过的竹篓，竭力挺直单薄的身板。然而其步态，毕竟那么地蹒跚，使我联想到衰老又顽强的朝圣者，去向我所不晓的什么圣地。有一天傍晚下雨，她戴顶破了边沿的草帽，用塑料布罩住竹篓，却任雨淋湿衣服……

那曾经的草根族群中的美女，那八十三岁的，身患癌症的，竭力挺直身板的茶村老妪，又使我联想到古代赴往生命末端的独行侠……

似乎，我倾听到了那老妪的心声：清名、清名……

反反复复，二字而已。

不久前，子诚打来电话，告诉我徐阿婆死了。

"她，那个……我的意思是……明白我在问什么吗？……"

我这个一向要求学生对人说话起码表意明白的教师，那一时刻语无伦次。

"听家里人说，她死前几天才还清那笔钱……老人家认真到极点，还央求村支书为她从县里请去了一名公证员……现在，有关方面都因为那一笔钱而尴尬……"

我又说不出话来，也不知自己什么时候放下电话的。想到我和子诚口中，都分明地说过"还"这个字，顿觉对那看重自己清名的老人家，无疑已构成人格的侮辱。

清名、清名……

这一旦在乎反而累人自讨苦吃的东西呀，难怪今人都避得远远的，唯恐沾上了它！

我之羞愧，因亦如此……

关于张澜

　　我所以由无党派知识分子而成为民盟一员，主要是由于受民盟前辈们爱国情怀和人格节操所感召。在几代民盟知识分子心目中，张澜是精神不朽的楷模，是我们一代的民盟后人学习的榜样。我不是什么研究张澜的学者，只不过出于由衷敬仰，接触过一些关于他的历史资料而已。

　　我从那些资料之中所感知的张澜，首先是一位伟大的爱国者。他因强烈又深切地爱国，所以强烈又深切地为民主在中国的实现奔走呼号。

　　我个人认为，这世界上没有什么热爱国家的人却不是热爱民主的人。那样的人是不可思议的。民主的方式或可有所不同，但民主的原则肯定是任何一个国家走向进步的必由之路。

　　在中国近代史上，张澜先生对中国民主进程的巨大影响力、感召力和促进作用是不容置疑的。

　　"先天下之忧而忧，后天下之乐而乐。"

　　"苟利国家生死以，岂因福祸避趋之。"

　　"威武不能屈，富贵不能淫，贫贱不能移。"

　　所有这一类言志之诗，汇总起来，全部用以形容张澜先生，那也是恰如其分的。

　　民主是现代社会思想。这种现代社会思想与张澜先生身上那种严以律己的个人品格修为，结合得水乳交融，极为完美。这使他在人格方面具有连自己的敌人都不得不钦佩的魅力。由于他在民众间的无人可以取代的高度威望，由于他巨大的号召力、影响力、凝聚力，晚清政府特别不情愿地，完全不得已地任其为川北宣慰使，相当于一方保民官的官职。其实，也是想对其收买，使其成为晚清官僚体制中的一员。而且正是在任川北宣慰使时，获得了人民给予他的"川北圣人"的美誉。因为他尽可能地运用权力为人民服务，而从未有过哪怕丝毫谋取私利的为官污点。由于他威望如此巨大，又做过嘉陵道尹；民国时期，任四川省长。他依然清廉如故，使他的敌人们因而不敢对其轻举妄动。有两个例子可以说明这一点：

一、当时南充有军阀名曰石青阳者，不信其清廉，派人暗探其家，但见"环堵萧然，一室空空"。其母其妻其亲人，终日辛苦劳作于几亩薄田之间，庵居素食，过着差不多是与世隔绝的清苦日子。探子据实回报，石青阳叹道："川北圣人，名不虚传，奈何？奈何？"

他在任省长期间，某次进京述职，被一名叫王三春的响马拦于途中，不是要抢他，明知他身上也没有什么可抢的。更不是要杀他，而是被他的人格魅力所折服，要赠他400大洋，以缓其盘缠之拮据。这听起来像戏剧情节，然而却是史料所记的真事。他当然分文不收，对于官逼民反之现象表示了同情与理解，同时教诲王三春，万勿滋扰乡里，为害黎民，王三春诺诺称是……

张澜在任期间，为了济贫助困，慈善民间，以个人名义借了不少钱。在他离任之后，皆成私债。以至于，他的老母亲，不得不将几间破陋家屋和几亩薄田押出，替儿子暂缓债压。又，老母逝前，面嘱其无论如何要将家屋及薄田赎回，她担心后人没了栖处，没了生存之路。张澜是大孝子，只有失声哭泣而已……

或者，正是在他为官期间，更加看透了由封建官僚、割据军阀和大地主大资产阶级所掌控的国家是根本没有什么前途可言的，人民生活的保障也是根本不可能有什么希望的；再多几个像自己这样的人物，强国富民将仍是泡影——于是，他开始叱咤于时代大舞台，完成了由"川北圣人"到伟大的民主斗士的转折……

他在成为民盟领袖之后，在一次民盟的会议上，曾一身正气地大声疾呼："我们替人民所争得的自由、民主这一张'期票'，政府却至今没有兑现。我们有代表人民拿着这一张'期票'向政府'彩券债偿'的责任。这是我们今后努力的目标，也是历史赋予我们的使命。"

他的这些话，后来一直成为民盟知识分子的使命信条。所以，民盟人士拒不参加国民党政府召开的所谓"一次国大"会议，也都拒绝高职高待遇的利诱，拒不出任国民党政府的官职。当然，结果是——张澜成为当局的眼中钉，民盟也成为当局的眼中钉。蒋介石最终下令解散民盟，并公开扬言否则将以武力对待。身为民盟主席的张澜，为着百千民盟人士的生命安危，不得不在解散书上签了字，但同时在报上公开发表声明——为着中国的民主，此后将以个人名义，与专制的国民党政府斗争到底，对抗到底。

蒋介石之所以从未杀张澜，不是宽忍，实是不敢。他说过这样的话："得张澜者得四川，失张澜者失四川。"蒋介石输不起四川这一大省。

将张澜在民盟会议上的讲话，与美国黑人人权运动领袖马丁·路德·金那篇著名的演讲《我有一个梦想》联系一下是很有意思的历史现象。在张澜那段话说过二十余年以后，马丁·路德·金差不多在演讲中说了同样的话："我们来到国家的首都是为了兑现一张期票……这张期票向所有人承诺——不论白人还是黑人——都享有不可让渡的生存权、自由权和追求幸福权。"

简直令人怀疑，二十余年后的马丁·路德·金，远在美国，也知中国曾有一位叫张澜的伟大人物，曾将自由与民主比作一张人民有权兑现的"期票"……

蒋介石离开大陆去台湾后，密令特务一定要将张澜劫持往台湾，只不过这一企图没能得逞。

张澜对蒋介石，民盟对国民党政府，并非只讲斗争，并非一味势不两立。抗日战争爆发以后，恰恰是在张澜晓以大义的说服之下，军阀刘湘依从了老师的话，送二十万川军出川抗战。二十万军，那一去浴血疆场，归者甚少……

新中国成立后，张澜当然欣喜地参加了第一届全国政协，与毛泽东、周恩来等共谋建国大业，参与起草宪法草案，并被选举为共和国副主席。

按他的级别，每月享有二百元"特别津贴"，张澜至死不受。有关部门照发，他命月月存入银行。死后，由家人一总按其遗嘱退给了国家。同时，他的级别应享有十六七人组成的机要和服务团队。他极为坚决地减少到了不能再少的人数——四人。

他的家人来京前，周恩来亲自为他选住址。一次两次数次，他总不满意——觉得大。最终，勉强搬出了集体楼房，搬入了小小的一套四合院。他的儿女亲人们，没有一个人沾过他的光，入了好学校或找到了好工作。

连毛泽东也对他的清廉之风发自内心地说："表老，你的德很好。"

在1953年9月的一次全国政协会上，毛主席和梁漱溟因为农民问题发生了激烈争执。毛主席斥梁"反动透顶"、"一贯反动"。人皆震惊、噤言，接着对梁的批判之声四起。张澜肃然端坐，未置一词。事后与其他民主人士联名给毛主席写了一封信，婉言批评了毛主席的话"殊不确当"。大约，那是建国以后，毛所面对的唯一一次书面批评，尽管遣句娓娓。肝胆相照，又一例也。

今天，在建国六十周年之日即将到来时，我们评说张澜，重要的意义乃在于提醒我们——民主尚未完善，诸方仍需努力。

对于执政的中国共产党是这样；对于各民主党派是这样；对于全体国人也是这样。

因为，民主乃是一个国家的"成人礼"……

沉思鲁迅

在阴霾的天穹上，凝聚着一团大而湿重的积雨云——我常想，这是否可比作鲁迅和他所处的时代的关系呢？

那是腐朽到了糜烂程度而又极其动荡不安的时代。

鲁迅企盼着有什么力量能一举劈开那阴霾，带给他自己也带给世人，尤其中国底层民众，又尤其许许多多迷惘、彷徨，被人生的无助和民族的不振所困扰，连呐喊几声都将招至凶视的青年以光明和希望。然而他敏锐的，善于深刻洞察的眼所见，除了腐朽和动荡不安，还是腐朽和动荡不安，更不可救药的腐朽和更鸡飞狗跳的动荡不安。

他环顾天穹，深觉自己是一团积雨云的孤独。

他是他所处的时代特别嫌恶然而又必然产生的一个人物。正如他嫌恶着它一样。

于是他唯有以他自身所蕴含的电荷，与那仿佛密不可破的阴霾，亦即那混沌污浊的时代摩擦、冲撞。中外历史上，较少有一位文化人物，自身凝聚过那么强大的能量。对于中国，那能量超过了卢梭之对于法国。然而相对于他所处的时代，那也只不过是一种凄厉的文化的声音而已。他在阴霾的天穹上奔突着，疾驰着，迫切地寻找着或能撕碎它的缝隙。他发出闪电和雷鸣，既使那时代的神经紧张，也义无反顾地消耗着自己。既不能撕碎那阴霾，他有时便恨不得撕碎自己，但求化作多团的积雨云，通过积雨云与积雨云，也就是自身与自身的摩擦、冲撞，击出更长的闪电和更响的雷鸣……

这，是否便是中国近代文化史上的鲁迅呢？

鲁迅当然是文学的。

文学的鲁迅所留下给我们的文本，不是多得足以"合并同类项"的文本中的一种；而是分明地区别于同时代任何文本的一种。

鲁迅的文学文本，是迄今为止最具个性的文本之标本。

它使我们明白，文学的"个性化"意味着什么。

鲁迅尤其是文化的。

文化包括文学。

所以鲁迅是很"大"的。

倘仅以文学的尺丈量鲁迅，在某些人看来，也许鲁迅是不伦不类的；而我想，也许所用之尺小了点儿。

仅仅鲁迅一个人，便几乎构成中国现代文学和文化史上不容忽视的一页了——那便是文化的良知与一个腐朽到糜烂程度的时代之间难以调和、难以共有的大矛盾。

倘中国近代文学和文化史上无此页，那么我们今人对它的困惑将不是少了，而是多了。

文学体现于个人，有时只需要一张写字桌。

文化体现于个人，有时只需要黑板和讲台。

文学和文化，有时只需要阴霾薄处似有似无的微光的出现；有时仅满足于动荡与动荡之间的假幻的平安无事。

文学和文化处在压迫它的时代，那是也可以像吊兰一样，吊着活的。这其实不必非看成文学和文化的不争，也是可以换一个角度看成文学和文化的韧性的。

然而鲁迅要的不是那个。满足的也不是那个。倘是，中国便不曾有鲁迅了。

鲁迅曾对他那时代的青年说过这样的话：第一是要生存；第二是要温饱；第三是要发展。

其实在某些时代的某些情况之下，一切别的人们，所起码需要的并不有别于青年们。

鲁迅的激戾，乃因他每每地太过沮丧于与他同时代的文化人士，不能一致地、迫切地、义无反顾地想他所想，要他所要。因而他常显得缺乏理解，常以他的"投枪和匕首"伤及原本不愿与他为敌，甚至原本对他怀有敬意的人。

于是使我们今人不得不面对这样一个事实——战斗的鲁迅有时候也是偏执的鲁迅……

在四月的春寒料峭的日子里，在沙尘暴一次次袭扑北京的日子里，在停了暖气家中阴冷的日子里，我又沉思着鲁迅了。

事实上，近几年，我一再地沉思过鲁迅。

这乃因为，鲁迅在近几年的大陆文坛，不知怎么，非但每成热点话题，而且每成焦点话题了。

不知怎么？

不对了。

细细想来，对鲁迅重新进行评说的文化动向的兴起，分明是必然的。有哪一位中国作家，在半个世纪之久的中国，尤其是在80年代以前的三十年里，其地位被牢牢地神圣地巩固在文化领域乃至社会思想理论领域甚至政治意识形态领域呢？除了鲁迅，还是鲁迅。在中国，在80年代以前的三十年里，在以上三大领域，鲁迅实在是一个仅次于毛泽东的名字。而鲁迅的书，则是仅次于《毛泽东选集》的书。而鲁迅的言论，则是仅次于《毛主席语录》的言论。在"文革"中，鲁迅的言论被正面引用的次数，仅次于《毛主席语录》被引用的次数、《论资本家的"乏"走狗》这一篇杂文，曾被同仇敌忾地当成声讨"走资派"的"乏走狗"们的战斗檄文；《论"费厄泼赖"应当缓行》这一篇杂文，曾被红卫兵们视为毛泽东《将革命进行到底》的姊妹篇。不消说，在当年，"将革命进行到底"便是将"文革"进行到底。而确乎地，那时，除了《毛主席语录》，还有另一种同样是红色的"语录"本儿广为存传，即《鲁迅语录》……

我确信，倘鲁迅当年还活在世上，肯定是不情愿的。倘不情愿而又无可奈何，那么他内心里肯定是痛苦的吧？其痛苦肯定大于他感到被曲解、误解、攻击和围剿的痛苦吧？在人类的历史长河中，某些著名的人物，生前或死后被当成别人的盾别人的矛的事是常有的。鲁迅也被不幸地当过，不是鲁迅的不好，是时代的浅薄。"文革"不仅是疯狂的时代，而且是理性空前浅薄的时代。那样一个时代的特征就是特别的需要可披作"虎皮"的大旗，鲁迅在死后而不是生前被当成那样的大旗，又未尝不是他的幸运……

又，鲁迅生前论敌甚多，这乃是由鲁迅生前所惯操的杂文文本决定了的，或曰造成的。杂文是议论文本。既议人，则该当被人所议。既一议之，则该当被众人所议。纵然论事，也是难免议及于人的。于是每陷于笔战之境。以一当十的时候，便形成被"围剿"的局面。鲁迅的文笔尖刻老辣，每使被议者们感到下笔的"狠"。于是招至以眼还眼，以牙还牙。鲁迅是不惧怕笔战的。甚至也不惧怕孤家寡人独自"作战"，而且具有以一当十百战不殆的"作战"能力，故在当时的中国文坛，形象就很无畏。"东方不败"的一种形象。又因他在当时所主张的是"普罗文化"亦即"大众文化"，而"大众"在当年又被简单地理解成"无产阶级"，并且他确乎地为他的主张每每剑拔弩张，奋不顾身，所以后来受到毛泽东的高度评价，称颂之为"伟大的无产阶级文化的战士和旗手"。

有人对鲁迅另有一番似乎中性的客观的评价，那就是林语堂。

他曾写道：与其说鲁迅是文人，还莫如说鲁迅是斗士。所谓斗士，善斗者也。闲来无事，以石投狗，既中，亦乐。

大致是这么个意思。

林语堂曾与鲁迅交好过的。后来因一件与鲁迅有关、与自己一点儿关系都没有的稿费争端之事，夫妇二人欣然充当斡旋劝和的角色，结果却说出了几句使鲁迅大为反感的话。鲁迅怫然，林语堂亦怫然，悻悻而去。鲁迅在日记中记录当时的情形是"鄙相悉现"四个字。

从某些人士的回忆录中我们知道，鲁迅其后几日心事重重，闷闷不乐。

鲁迅未必不因而失悔。

而林语堂关于"斗士"的文字，发表于鲁迅逝后，他对鲁迅曾是尊敬的。那件事之后他似乎收回了他的尊敬。而且，二人再也不曾见过。

林语堂不是一位尖刻的文人。然其比喻鲁迅为"斗士"的文字，横看竖看，显然地流露着尖刻。但若仅仅以为是百分之百的尖刻，又未免太将林语堂看小了。我每品味林氏的文字，总觉也是有几分替鲁迅感到的"何必"的意思在内的。而有了这一层意思在内，"斗士"之喻与其说是尖刻，莫如说是叹息了。起码，我们后人可以从文字中看出，在林语堂眼里，当时某些中国文坛上的人，不过是形形色色的"狗"，并不值得鲁迅怎样认真地对待的。如某些专靠辱骂鲁迅而造势出名者。那样的某些人，在世界各国各个时期的文坛上，是都曾生生灭灭地出现过的。是一点儿也不足为怪的。

鲁迅讨伐式或被迫迎战式的杂文，在其杂文总量中为数不少。比如仅仅与梁实秋之间的八年论战（与抗日战争的年头一样长），鲁迅便写下了百余篇长短文。鲁迅与论敌之间论战，有的发端于在当时相当严肃相当重大的文学观的分歧和对立。论战双方，都基于某种立场的坚持，都显出着各所坚持的文学的，以及由文学而引起的社会学方面的文人的或曰知识分子的责任感。有的摆放在今天的中国文坛上，仍有促使我们后代文学和文化人士继续讨论的现实意义。有的由于时代的演进，自行化解，自行统一，自行达成了共识，已无继续讨论，更无继续论战的现实意义。而有的论战的发端，即使摆放在当时来看，也不过便是文化人和知识分子之间的一项文坛常事。孰胜孰败，是没什么非见分晓的大必要的……

然而1949年以后，鲁迅的名副其实的论敌们，或准论敌们，或虽从不曾打算成为鲁迅的论敌，却被鲁迅蔑斥为"第三种文人"者，都纷纷转移到香港、台湾乃至海外去了。我们今人，谁也不能不说他们当时的转移是明智的。而没有做那一种选择的，后来的人生遭遇都是那么地令人唏嘘。连曾是鲁迅的"战友"，曾是鲁迅的学生的人们也在劫难逃，更何况鲁迅当年的论敌了。

并且，现当代的中国文学史，曾几乎是以鲁迅为一条"红线"，进行了相当细致的梳理和相当彻底的删除。其结果是，一些与鲁迅同时代的文化人士和文化学者，从现当代的中国文学史上销声匿迹了。他们的书籍只有在极少极少的图书馆里才存有着。寻找到它们，是比敬职的道具员寻找到隔世纪的道具还难之事。有的文学史书虽也记载了当时中国文坛的风云种种，但也只不过是一笔带过的，仿佛铁板钉钉的结论。而且是纯粹政治性的，异化了文学内容的结论。致使我这一代人曾面对的文学和文化的史，一度是以残缺不全而充完整的。甚至可以说，那是一种史的"半虚无"现象……

然而我确信，鲁迅若活到了1949年以后，他是绝不会主张对他的论敌、准论敌，以及被他蔑斥的"第三种文人"实行一律封杀的。我读鲁迅，觉得他的心还是特别的人文主义的。并且确信，鲁迅是断不至于也将他文坛上的论敌们，视为不共戴天的仇敌，时刻欲置于死地而后快的。他虽写过《论"费厄泼赖"应当缓行》，那也不过是论战白热化时文人惯常的激烈。正如梁实秋当年虽也讽鲁迅为"一匹丧家的'乏'牛"，但倘自己得势，有人主张千刀万剐该"牛"，甚或怂恿他亲自灭掉，梁实秋也是会感到是侮辱自己的。

我近日所读关于鲁迅的书，便是华龄出版社出版的《鲁迅梁实秋论战实录》。正是这一本书，使我再次沉思鲁迅，并决定写这一篇文字。书中梁实秋夫妇与鲁迅孙子周令飞夫妇的台北合影，皆其乐融融，令人看了大觉欣然。往事作史，尘埃落定，当年的激烈严峻，现今竟都变得轻若绕岭游云了。我想，倘鲁迅泉下有知，必亦大觉欣然吧？

鲁、梁当年那一场持久论战，在我读来既是必然发生的"战役"，也未尝不是"剪辑错了的故事"。

鲁迅的经历，决定了他是一位深深入世，抛尽了一切出世念头，并且坚定不移地确定了自己入世使命的文化知识分子。

鲁迅书中曾有这样的话：

说从前好的，自己回去；

说现在好的，留在现在；

说将来好的，随我前去！

那与其说是豪迈的鼓呼，毋宁说更是孤傲的而又略带悲怆意味的个人声明——他与他所处的"现在"，是没什么共同语言的。他对社会、国家和民族的寄托，全在将来！而他的眼从"现在"的大面积的深而阔的伤口里，已看到正悄悄长出的新肌腱的肉芽！

曾有他的"敌人"们这样地公开暗示他的"赤"化;"然而偏偏只遗下了一种主义和一种政党没嘲笑过一个字,不但没有嘲笑,分明的还在从旁支持着它"。

梁实秋在与鲁迅的论战中引用了那很阴险的文字,并在文中最后质问:"这'一种主义'大概不是三民主义吧?这'一种政党'大概不是国民党吧?"

这不能不说是比"资本家的'乏'走狗"更狠的论战之招。因为这等于将鲁迅推到了国民党特务的枪口前示众。文人之间的意气用事,由此可见一斑。这一种文化现象,也是非常"中国特色"的。而且在后来的"文革"中登峰造极。此点与西方是不尽相同的。在西方,文人或文化知识分子虽也每每势不两立,但政治的嘴脸一旦介入其间,那是会适得其反的。论战的双方,要么有一方开始缄默,要么双方同时表达对政治干涉的反感。比如二战前后的美国,一批知识分子同样被列入了亲苏的政治"黑名单",但他们的某些文化立场上的"敌人",也有转而替他们向当局提出抗议的……

今天,我们当代中国之文化人和文化知识分子,与其非要从鲁迅身上看清他原来也不过怎样怎样,还莫如以历史为鉴,照出我们自己之文化心理上的不那么文化的疤癞。

当然,鲁迅斥梁实秋为"资本家的'乏'走狗",也是只图一时骂得痛快,直往墙角逼人。研读梁实秋与鲁迅的论战文字,谁都不难得出一个公正的结论,即梁实秋谈的是纯粹的文学和文化之事。如其在大学讲台上授课。二十四岁从美国学成回国的梁实秋,当年显然是属于这样一类知识分子——只要垫平一张讲课桌由其讲授文学的课程,课堂以外之事是既不愿关心更不愿分心枉为的。当年此类文化知识分子为数是不少的。《青春之歌》中的余永泽,身上便有着他们的影子。当然在持革命人生观的当年的青年们看来，那是很不足取的。其实，倘我们今人平静地来思考，却更应该从中发现这样一种人类普遍的生存规律，那就是——只要天下还没有彻底的大乱，甚或，虽则天下业已大乱，但凡还有乱中取静的可能，大多数人总是会一如既往地做他们想做和一向在做的事情的：小贩摆摊、游民流浪、瘾君子吸毒、妓女卖淫、工人上班、农夫下田、歌女卖唱、叫花子行乞、私塾先生教《三字经》《百家姓》《千字文》、大学教授背课授课、学子们孜孜以学……哪怕在集中营里，男人和女人也要用目光传达爱情；哪怕在前线的战壕里，有浪漫情怀的士兵，也会在冲锋号吹响之前默诵他曾喜欢过的某一首诗歌……梁实秋的"悠悠万事，唯文学为大"，正符合着人性的较普遍之规律。深刻如鲁迅者，认为是苟活着并快乐着。但是若换一种宽厚的角度看待之，未尝不也是人性的普遍性的体现。对于梁实秋的"文学经"的种种理论，鲁迅未必能全盘驳倒批臭。因为分明的，仅就文学的理论而言，梁实秋也在不遗余力地传播着他自美国接受的一整套体系，并且认为是他的使命和责任。正如鲁迅认为自己做"普罗文学"的主将和旗手是义不容辞之事。

如果说鲁迅倡导"普罗文学"，无论当时或现在都有积极的意义，那么他根本否定"第三种文人"也就是根本否定第三种文学和文化，亦即超阶级意识的文学和文化的存在价值，则是大错特错了。在此点上鲁迅其实是自相矛盾的。因为他甚至连对古代艳情禁毁小说都曾笔下留情，表现包容的一面。在此点上，他使本来尊敬他的某些人，后来也对他敬而远之了。而此点对建国以后的中国文学和文化的负面影响之深远，当然是鲁迅所始料不及的吧？令我们今人重审鲁、梁之间当年的"持久战"，不能不替我们这一代人特别崇敬的鲁迅感到遗憾，甚至感到几分尴尬。

如果说梁实秋传播经典文学之所以成为经典的某些确是真知灼见的理论，尤其试图引西方的文学理论指导中国的文学实践，此念虔诚，并且是有功之举，那么他当年同时以极为不屑的态度嘲讽"大众文学"的弱苗是在今天也有必要反对的。按他当年的标准，《阿Q正传》、《骆驼祥子》、《祥林嫂》、《为奴隶的母亲》、《八月的乡村》等等简直就登不了文学的大雅之堂了。

而可以肯定的是，梁实秋现在会放弃他当年的错误的文学立场的。

他比鲁迅幸运。因为他毕竟有矫正错误的机会。

永远沉默了的鲁迅，却只有沉默地任后人重新评说他当年的深刻所难免的偏激和片面而已。

正应了"文章千古事，落笔细思量"一句话。

想想令我替文人们悲从中来……

一位在自身所处的时代鱼缸里的鱼似的，游弋在文学的，而且是所谓高雅的那一种文学的理论中；一位在自身所处的时代，倍感周遭伪朽现实的混浊，以及对自己造成的窒息；一位在当年专以文学论文学；一位在当年借杂文而隐论国家，隐论民族。——根本是表象上"杀作一团"，实质上狭路撞着各不礼让的一场论战。是文学和文化在那个时代空前浮躁的一种现象。正如今天的文学和文化也受时代的影响难免浮躁。

俱往矣！

社会之所以不管怎样地病入膏肓，却毕竟总还"活"着，乃因有人在不懈地做着对我们和我们的下一代极为必要之事；而时代之所以变革，则乃因有勇猛的摧枯拉朽者。

两者中都有值得我们钦佩的。

鲁迅——旧中国阴霾天穹上，一团直至将自己的电荷耗尽为止的积雨云。

鲁迅又如同星团，而别人们，在我看来，即或很亮过，也不过是星。

星团大过于星……

未死的沙威

某次，在某地，我就小说创作问题谈到了一点儿体会，大意是——人物关系因所谓情节之发展而变化，反之亦然。如同魔方，转动一面，其他五面的格色随之改观，甚而小说的思想主题也随之旁逸斜出……

听众中有人要求我举例加以说明。

我想了想，遂举《悲惨世界》中沙威和冉·阿让之人物关系进行阐述：

雨果对沙威这一人物的形象描写确乎是非常出色的——黑色的高筒礼帽永远齐眉戴在他的头上；而黑色衣服的高领严紧地围住他那短而粗的脖子，并将他那方形的下巴卡住，向上托起；帽檐又是那么地宽，以至于即使一个人和他面对面地站着，也只能看到他的三分之一张脸——一双目光极其阴冷的眼睛，和他那丑陋如狮虎的鼻子，还有那无疑会给人留下凶恶印象的方形下巴。在黑衣外边，是黑色的斗篷。在两条黑色的袖子里，缩入着一双强有力的手。而一根前端铸了铁的手杖，隐藏在黑斗篷底下。当他认为一个穷人在犯罪的时候，他那双强有力的手会迅速地从袖管里伸出来，掐住对方的脖子。而铸了铁的手杖也会显现出来，令对方出其不意，变成足以置人于死地的打击的武器……

当他激怒之前，他的鼻翼两旁便会皱起两道可怕的皮褶，就像狮子或老虎龇出白森森的利齿准备咬死目标那样。

他虽然是人，但却几乎没有人性。

他只不过是专制的国家机器的一个齿轮。一个在粗陋的模子里铸造成的，然而一旦拧在专制的国家机器的某一处很低级的部位，其作用又是绝对不容忽视的。他使人联想到《骇客帝国》里那些似人非人的机械人。他是一条狗，一条凶猛的藏獒。他自己十分清楚这一点，并且引以为光荣。他在平民尤其在穷人面前的傲慢，源于那一种自以为是的光荣。而一旦又面对着达官显贵和富人绅士们了，他立刻就变成了一条乞宠唯恐不及的宠物狗，叭狗之相毕现……

雨果在诠释沙威这一人物的职责信条时的文字也是非常出色的。

雨果写道：他，沙威，人格化了法律、光明和真理。他坚定不移地认为他绝对地代表法律、光明和真理。他威风凛凛，将他的超人淫威遍布于社会良知的天空上。他忠诚、自信、追求他在他那种社会定位的成就感。

雨果进一步写道："以上品质在被曲解了的时候，是会变成丑恶的。不过，即使丑恶，也还是自有它的强大。在他暴戾地行使他的权力的时候，他内心里涌起一种寡情而由衷的欢乐。在他那种骇人的欢乐里，正如每一个得志的小人一样，却也有值得怜悯的东西。那副面孔所表现的，是我们可以称之为'忠诚'的万恶，世界上没有任何东西比这更惨更可怕的了……"

雨果虽然不是鲁迅，他的文学主张，虽然与鲁迅有着根本的区别，但他对于沙威这一类人物的批判，那笔力，简直不能不说，也似投枪，也似匕首，刺透沙威的身体，带着惯力，向沙威的眷主们矢飞而去……

但雨果终究是善的，也终究是理想主义的——当冉·阿让救了沙威一命之后，雨果一厢情愿地让沙威选择了投河溺毙。按照雨果的逻辑，在普遍的社会良心和对专制国家机器的忠诚之间，沙威已"走投无路"，别无选择，只有一死了事。

即使名著亦有图便之笔。

沙威之死，不但是雨果的一厢情愿，而且，分明是一种太过简单的写法，一种"姑且那般"样的写法。

沙威之到底是沙威，乃因他并不是驸马陈世美派去杀前妻秦香莲母女三人的家将韩琪，也不是奸相屠岸贾派去杀赵盾的家奴钼麑。为家将者，只不过一种寄人篱下的人而已，并不意味着自己的人性早已被异化没了。通常，也并不多么地引以为荣。而那个钼麑，在《赵氏孤儿》中将他说得很清楚：虽也是个杀人不眨眼的汉子，但杀人时一向并不情愿，并且深恶自己的杀人勾当，同时便也深恶自己。只不过其命为奴，比家将还低多了，杀人于是成为不得已事。故韩、钼二人，仍属尚有些人性之人。人性既尚有之，天良发现，便合乎着他们的人性的一点儿逻辑。但沙威不同，他乃是个早已被专制制度异化得根本没有了什么人性可言的"铆钉"。换言之，是个根本没有受过人文主义教化，却对专制主义理念信奉得五体投地的"工具人"。这样的家伙，怎么可能仅仅因为一个在逃的苦役犯亦即专制制度的罪人救了他一命，就人性觉省，自我了断了呢？他如果尚有一点儿人性，当他那么暴戾地行使他"神圣"的权力对待芳汀时，芳汀跪地哭泣求饶，他不是就该心生出一许恻隐了吗？然而他不是<u>丝毫</u>也没有吗？甚至，连马德兰市长（冉·阿让）命他放走芳汀时，他还因了他的"神圣"使命振振有词执拗不肯呢！他的"人"性以对穷人的"正当"的暴戾为欢乐，这样了的"人"性还有觉省的前提吗？

所以，沙威的死，是不大符合沙威这一个"工具人"的工具性的；所符合的，只不过是雨果这一位虔诚的人道主义者的人性逻辑。

那么，至少有一种可能是：当冉·阿让救了沙威一命之后，沙威冷笑道："你这个永远也改造不好的苦役！你这个该死的在逃犯！你这个竟敢充当一位可敬的市长的下贱胚子！你以为你救了我一命我就会从此放过你吗？你想错了！大错特错了！别忘了我是沙威！我沙威这样的人，那是宁肯死也不愿被你所救的！被你这个该死的逃犯所救那是我沙威莫大的耻辱你懂吗？呸！不要装出你多么善良的样子！你这一套对我根本不起任何作用！难道你看不出来因为你他妈的居然救了我，我反而加倍地憎恨你吗？哈哈，现在你已别无选择！你的末日终于到了！十八年前你逃离了的那一个采石场，将是你——冉·阿让的坟地！哈哈！哈哈！……"

　　沙威羞辱着冉·阿让，嘲笑着他，内心里所涌起的那一种习以为常的欢乐，比以往任何一次欢乐更是似乎高尚的欢乐。因为，羞辱一个刚刚救了自己一命的罪犯，比仅仅羞辱一个罪犯是更加其乐无穷的事情……

　　结果，刚刚救了他一命的冉·阿让，万不得已只有再活活掐死他。书中写到的，冉·阿让有一双比沙威更有力的手。

　　当然，如此一改，《悲惨世界》的后几章，也就肯定不是我们所读到的面貌了。

　　还有一种可能是——沙威被救了一命之后，一反常态，对冉·阿让推心置腹起来。

　　他说："冉·阿让，你明白我为什么要锲而不舍地追捕你，缉拿你吗？不明白吧？老实说，起先我自己也不明白。但是渐渐地，在追捕你的那些个日日夜夜里，我由不明白而明白了。我问自己，我这么辛苦地追捕你所为何由？归根到底，你只不过当初由于饥饿而偷过一个面包。我一问自己，茅塞顿开了，我产生了一个新的追捕目的，那就是——我要和你做一笔交易。什么交易呢？对我们两个人都有利的交易，双赢的交易。现在，把你的帽子给我，把你的外套也给我。我要将它们在河里浸湿，然后带着它们回去结案。我就说我亲眼看见你走投无路投入了河里，再就没有浮上来。这几天河水不是涨得很深吗？我说虽然没有发现你的尸体，但你也必死无疑。我对他们一向忠诚，他们会相信我的禀报的。以后呢，你要继续隐姓埋名，继续去办你的厂，或者再换一座城市去竞选市长也行！如果还能和以前一样，又当市长又办厂，最好。但是，在你的厂里，必须有我的可观的干股！我如果介绍我的亲朋好友到你当市长的那一个市里去谋生，你必须尽心尽意地替我关照着他们！否则，哼！你别不识好歹地瞪着我！我知道你们这种人以前怎么看我的，认为我只不过是权贵们和富人们的一条狗是不是？但我沙威的人性现在觉醒了！以前我不贪财，从现在起我对金钱大有好感了！以前我不近女色，从今天起我要变成一个好色的沙威了！我也是人，我干嘛那么缺乏人性？我再也不甘心仅仅充当一条狗了！说！给多少干股？开口之前你可考虑好了！少了别怪我又立刻跟你翻脸！……"

像沙威这么一个家伙，他的人性的复归，那是绝不可能一下子就复归到一个比较高尚的层面上去的。根本没受过任何人文主义的教化啊！所以他自谓的复归，那也只能从很俗恶的层面开始。

第三种情况也不排除，便是——冉·阿让见自己救了沙威一命之后，沙威还是那么地穷凶极恶，无奈之下，从怀中掏出一袋金币对其行贿。冉·阿让十分清楚自己每一天都在被沙威追捕着，思想上是有准备的，故经常随身带着一袋金币。当过一个时期"马德兰"市长以后，他对统治阶级的人士，包括沙威这类"工具人"有了更为深刻的认识。他已然看得分明，他们嘴上所说的，和他们实际上内心里所想的，暗地里所干的，原来是那么地不一样。权、钱、色才构成他们的真本的追求目的。沙威也不例外。沙威只不过位置爬得还不算高，整天所替上头摆平的尽是些穷人，没谁贿得起他，故他才一向保持住了清廉的假相……

自然，可以想象得出沙威起初是如何装出一副拒腐蚀永不沾的嘴脸的。于是冉·阿让又诱以干股。他如此这般之时，心中想到了自己对芳汀的庄重保证；想到了克赛特还不能失去他；想到了自己对克赛特的幸福还继续负有的责任；当然，也想到了那一位对自己的心灵发生重大又深远之影响的好主教米里艾；进而，还想到了上帝，尽管他不是一个虔诚的宗教徒。

他并不感到自己的行为可耻。他认为真正丑陋的并非自己，而是逼自己为罪犯的社会现实。认为若果有上帝，一定能够从天堂看到人世间所发生的许多悲剧，并能分清善与恶，得出与自己一样的结论……

总而言之，我自少年时起，就从《悲惨世界》中看出，沙威这种家伙，那是绝对不会轻易将自己的生命了断了的。所谓"良知发现"，对于他这种家伙纯属无稽之谈。

以上任何情节和人物关系的改变，无疑都将使《悲惨世界》的后几章与现在的面貌大相径庭，也无疑具有戏说的意味——对于雨果和《悲惨世界》这一部世界名著，自然是很不敬的。

但，未死的沙威，却又会留给我们喜爱《悲惨世界》的读者多么大的往后想象的空间啊！

比如此刻的我，就不由自主地产生了这么一种想象——冉·阿让的后代们，将他们的厂办到了改革开放之后的我们中国；而沙威的后代们，在将近二百年的时间里，依然像前者们那么继续占有干股，并依然不劳而获地每年分着红利。

而且呢，他们发现中国目前正存在着为数更多的沙威，巧取豪夺的行径和手段，比他们的先祖多了去了，经验也多了去了。还都一个个人模人样的，不以为耻，反觉得意。

于是他们也全没了心理上的犯罪感。

想当初，真正"走投无路"的，并不是沙威们，而是雨果们。

独裁的社会制度，雨果们所厌憎也；革命的暴烈行动，雨果们所忧虑也。于是，最终又只能重新投入自己年轻时所猛烈攻击的宗教的怀抱，传播人道主义，聊以自慰。

没有人道主义原则的人文主义，其实什么主义也不配是。

人道主义，文学或可最后固守的一种立场。

若连这一种起码的处于底线之上的立场都丧失了，作家也就简直没法儿做人了。

老驼的喘息

　　我这个出生在哈尔滨市的人，下乡之前没见到过真的骆驼。当年哈尔滨的动物园里没有。据说也是有过一头的，三年困难时期饿死了。我下乡之前没去过几次动物园，总之是没见到过真的骆驼。当年中国人家也没电视，便是骆驼的活动影像也没见过。

　　然而骆驼之于我，却并非陌生动物。当年不少男孩子喜欢收集烟盒，我也是。一名小学同学曾向我炫耀过"骆驼"牌卷烟的烟盒，实际上不是什么烟盒，而是外层的包装纸。划开胶缝，压平了的包装纸，其上印着英文。当年的我们不识得什么英文不英文的，只说成是"外国字"。当年的烟不时兴"硬包装"，再高级的烟，也无例外地是"软包装"。故严格讲，不管什么人，在中国境内能收集到的都是烟纸。烟盒是我按"硬包装时代"的现在来说的。

　　那"骆驼"牌卷烟的烟纸上，自然是印着一头骆驼的。但那烟纸令我们一些孩子大开眼界的其实倒还不是骆驼，而是因为"外国字"。那是我第一次见到外国的东西，竟有种被震撼的感觉。当年的孩子是没什么崇洋意识的。但依我们想来，那肯定是在中国极为稀少的烟纸。物以稀为贵。对于喜欢收集烟纸的我们，是珍品啊！有的孩子愿用数张"中华"、"牡丹"、"凤凰"等当年也特高级的卷烟的烟纸来换，遭断然拒绝。于是在我们看来，那烟纸更加宝贵。

"文革"中，那男孩的父亲自杀了。正是由于"骆驼"牌的烟纸祸起萧墙。他的一位堂兄在国外，还算是较富的人。逢年过节，每给他寄点儿东西，包裹里常有几盒"骆驼"烟。"造反派"据此认定他里通外国无疑……而那男孩的母亲为了表明与他父亲划清界线，连他也抛了，将他送到了奶奶家，自己不久改嫁。

故我当年一看到"骆驼"二字，或一联想到骆驼，心底便生出替我那少年朋友的悲哀来。

"文革"中我还从大字报汇编中得知——有人通过画骆驼对党对社会主义进行"丑化"，并且偌大的画曾悬于人民大会堂。当年的大字报汇编，好比现在的文摘类报刊。将全国各地的大字报内容选编在一起，内容很广泛，也相当耸动。我拥有过的，是挺讲究印刷水平的一册，配有那幅获罪的画。画上的三匹骆驼，看去有些瘦，也有些疲惫。却正因为是那样的骆驼，我觉得恰恰画出了骆驼的精神——毅忍。但批判者们似乎偏爱肥的且毛色光鲜的那一类骆驼。他们莫须有地指出，将骆驼画得那般瘦，那般疲惫，还要命名为《任重道远》，不是居心"丑化"党和社会主义才怪了呢！

故在当年，我一看到"骆驼"二字或联想到它，心底便也生出几分不祥之感来。

后来我下乡，上大学，在10年左右的时间里，竟再没见到"骆驼"二字，也没再联想到它。

落户北京的第一年，带同事的孩子去了一次动物园，我才见到了真的骆驼，数匹，有卧着的，有站着的，极安静极闲适的样子，像是有驼峰的巨大的羊。肥倒是挺肥的，却分明被养懒了，未必仍具有在烈日炎炎之下不饮不食还能够长途跋涉的毅忍精神和耐力了。那一见之下，我对"沙漠之舟"残余的敬意和神秘感荡然无存。

后来我到新疆出差，乘吉普车行于荒野时，又见到了骆驼。秋末冬初时节，当地气候已冷，吉普车从戈壁地带驶近沙漠地带。夕阳西下，大如轮，红似血，特圆特圆地浮在地平线上。

陪行者忽然指着窗外大声说："看，看，野骆驼！"

于是吉普车停住，包括我在内的车上的每一个人都朝窗外望。外边风势猛，没人推开窗。三匹骆驼屹立风中，也从十几米外望着我们。它们颈下的毛很长，如美髯，在风中飘扬。峰也很挺，不像我在动物园里见到的同类，峰向一边软塌塌地歪着。但皆瘦，都昂着头，姿态镇定，使我觉得眼神里有种高傲劲儿，介于牛马和狮虎之间的一种眼神。事实上人是很难从骆驼眼中捕捉到眼神的。我竟有那种自以为是的感觉，大约是由于它们镇定自若的姿式给予我那么一种印象罢了。

我问它们为什么不怕车？

有人回答说这条公路上运输车辆不断，它们见惯了。

我又问这儿骆驼草都没一棵，它们为什么会出现在离公路这么近的地方呢？

有人说它们是在寻找道班房，如果寻找到了，养路工会给它们水喝。

我说骆驼也不能只喝水呀，它们还需要吃东西啊！新疆的冬天非常寒冷，肚子里不缺食的牛羊都往往会被冻死，它们找到几丛骆驼草实属不易，岂不是也会冻死吗？

有人说：当然啦！

有人说：骆驼天生是苦命的，野骆驼比家骆驼的命还苦，被家养反倒是它们的福分，起码有吃有喝。

还有人说：这三头骆驼也未必便是名符其实的野骆驼，很可能曾是家骆驼。主人养它们，原本是靠它们驮运货物来谋生的。自从汽车运输普及了，骆驼的用途渐渐过时，主人继续养它们就赔钱了，得不偿失，反而成负担了。可又不忍干脆杀了它们吃它们的肉，于是骑到离家远的地方，趁它们不注意，搭上汽车走了，便将它们遗弃了，使它们由家骆驼变成了野骆驼。而骆驼的记忆力是很强的，是完全可以回到主人家的。但骆驼又像人一样，是有自尊心的。它们能意识到自己被抛弃了，所以宁肯渴死饿死冻死，也不会重返主人的家园。但它们对人毕竟养成了一种信任心，即使成了野骆驼，见了人还是挺亲的……

果然，三头骆驼向吉普车走来。

最终有人说："咱们车上没水没吃的，别让它们空欢喜一场！"

我们的车便开走了。

那一次在野外近距离见到了骆驼以后，我才真的对它们心怀敬意了，主要因它们的自尊心。动物而有自尊心，虽为动物，在人看来，便也担得起"高贵"二字了。

后来我从一本书中读到一小段关于骆驼的文字——有时它们的脾气竟也大得很，往往是由于倍感屈辱。那时它们的脾气比所谓"牛脾气"大多了，连主人也会十分害怕。有经验的主人便赶紧脱下一件衣服扔给它们，任它们践踏任它们咬。待它们发泄够了，主人拍拍它们，抚摸它们，给它们喝的吃的，它们便又服服帖帖的了。

毕竟，在它们的意识中，习惯于主人是它们自身不可分割的一部分。

不久前，我在内蒙的一处景点骑到了一头骆驼背上。那景点养有一百几十头骆驼，专供游人骑着过把瘾。但须一头连一头，连成一长串，集体行动。我觉有东西拱我的肩，勉强侧身一看，见是我后边的骆驼翻着肥唇，张大着嘴。它的牙比马的牙大多了。我怕它咬我，可又无奈。我骑的骆驼夹在前后两匹骆驼之间，拴在一起，想躲也躲不开它。倘它一口咬住我的肩或后颈，那我的下场就惨啦。我只得尽量向前俯身，但却无济于事。骆驼的脖子那么长，它的嘴仍能轻而易举地拱到我。有几次，我感觉到它柔软的唇贴在了我的脖梗上，甚至感觉到它那排坚硬的大牙也碰着我的脖梗了。倏忽间我于害怕中明白——它是渴了，它要喝水。而我，一手扶鞍，另一只手举着一瓶还没拧开盖的饮料。即明白了，我当然是乐意给它喝的。可驼队正行进在波浪般起伏的沙地间，我不敢放开扶鞍的手，如果掉下去会被后边的骆驼踩着的。就算我能拧开瓶盖，也还是没法将饮料倒进它嘴里啊，那我得有好骑手在马背上扭身的本领，我没那种本领。我也不敢将饮料瓶扔在沙地上由它自己叼起来，倘它连塑料瓶也嚼碎了咽下去，我怕锐利的塑料片会划伤它的胃肠。真是怕极了，也无奈到家了。

它却不拱我了。我背后竟响起了喘息之声。那骆驼的喘息，类人的喘息，如同负重的老汉紧跟在我身后，又累又渴，希望我给"他"喝一口水。而我明明手拿一瓶水，却偏不给"他"喝上一口。

我做不到的呀！

我盼着驼队转眼走到终点，那我就可以拧开瓶盖，恭恭敬敬地将一瓶饮料全倒入它口中了。可驼队刚行走不久，离终点还远呢！我一向以为，牛啦、马啦、骡啦、驴啦，包括驼和象，它们不论干多么劳累的活都是不会喘息的。那一天那一时刻我才终于知道我以前是大错特错了。

既然骆驼累了是会喘息的，那么一切受我们人所役使的牲畜或动物肯定也会的，只不过我以前从未听到过罢了。

举着一瓶饮料的我，心里又内疚又难受。

那骆驼不但喘息，而且还咳嗽了，一种类人的咳嗽，又渴又累的一个老汉似的咳嗽。

我生平第一次听到骆驼的咳嗽声……

一到终点，我双脚刚一着地，立刻拧开瓶盖要使那头骆驼喝到饮料。偏巧这时管骆驼队的小伙子走来，阻止了我。

因为我手中拿的不是一瓶矿泉水，而是一瓶葡萄汁。

我急躁地问："为什么非得是矿泉水？葡萄汁怎么了？怎么啦？！"

小伙子呐呐地说，他也不太清楚为什么，总之饲养骆驼的人强调过不许给骆驼喝果汁型饮料。

我问他这头骆驼为什么又喘又咳嗽的。

他说它老了，说是旅游点买一整群骆驼时白"搭给"的。

我说它既然老了，那就让它养老吧，还非指望这么一头老骆驼每天挣一份钱啊？

小伙子说你不懂，骆驼它是恋群的。如果驼群每天集体行动，单将它关在圈里，不让它跟随，它会自卑，它会郁闷的。而它一旦那样了，不久就容易病倒的……

我无话可说，无话可问了。

老驼尚未卧下，一动不动地站在原处，瞪着双眼睨视我，说不清望的究竟是我，还是我手中的饮料。

我经不住它那种望，转身便走。

我们几个人中，还有著名编剧王兴东。我将自己听到那老驼的喘息和咳嗽的感受，以及那小伙子的话讲给他听，他说他骑的骆驼就在那头老驼后边，他也听到了。

不料他还说："梁晓声，那会儿我恨死你了！"

我惊诧。

他谴责道："不就一瓶饮料吗？你怎么就舍不得给它喝？"

我便解释那是因为我当时根本做不到的。何况我有严重的颈椎病，扭身对我是件困难的事。

他愣了愣，又自责道："是我骑在它身上就好了，是我骑在它身上就好了！我多次骑过马，你当时做不到的，我能做到……"

我顿时觉他可爱起来。暗想，这个王兴东，我今后当引为朋友。

几个月过去了，我耳畔仍每每听到那头老驼的喘息和咳嗽，眼前也每每浮现它睇视我的样子。

由那老驼，我竟还每每联想到中国许许多多被"啃老"的老父亲老母亲们。他们之被"啃老"，通常也是儿女们的无奈。但，儿女们手中那瓶"亲情饮料"，儿女们是否也想到了那正是老父老母们巴望饮上一口的呢？而在日常生活中，那是比在驼背上扭身容易做到的啊！

中国许许多多的底层民众，他们之巴望被关怀的诉求，也往往像一瓶"责任饮料"，握在各级官员手中，他们是否很乐于为民众解渴呢？那其实往往比在驼背上扭身难不到哪儿去。即使难，做不到，他们会因而内心里不好受吗？

天地间，倘没有一概的动物，自远古时代便唯有人类。我想，那么人类在情感和思维方面肯定还蒙昧着呢？万物皆可开悟于人啊！

III.

被撕裂的中国

我看我们这一代

我写《这是一片神奇的土地》和《今夜有暴风雪》的时候，我看我们这一代是真诚的一代；我写《雪城》上部的时候，我看我们这一代是坚毅的一代；我写《雪城》下部的时候，我看我们这一代——注定了将是很痛苦的一代……

一代的真诚，若受时代之摆布，必归于时代的某种宗教情绪方面去。而宗教情绪的极致便是崇拜意识的狂热顶峰，接下来便会发展向崇拜的"反动"——被污染的真诚嬗变为狼藉破碎的理想主义的残骸……

失落了的热忱恰如泼在地上的水——可能结成冰，却无法再收起。

但是由水到冰并不见得是绝对令人沮丧的。大洋之上的冰山和江河之上的冰排，也是一种非常的景观。

冰源于水却浮于水之上，冰之运动赖于水然而并不任由水之涡旋。

冰不止意味着零下4度至零下270度……

冰还意味着独立的立体……

一代人的坚毅，必是艰难的时代所铸造的。当时代从艰难中挣扎出来，它挣扎的痕迹便留在了一代人身上。每一个时代都付于那一时代的青年人以不同的徽章。我们这一代已不再是青年。我们的徽章已经褪新。戴着这样的徽章的一代中年人，对于个人命运、时代命运乃至人类命运的坎坷，无疑会表现出令人钦佩的镇定……

他们对于任何大动荡不再至于张皇失措……

痛苦，是各类各样的，是最自我的体会。倘议一代人之痛苦，很难一言以蔽之。我看我们这一代人，就大多数来说，是太定型的一代人了。我们改变自己的可能性已经很小，而时代维护自己原本形象的可能性也已经很小。时代的烙印像种在我们身上的牛痘，我们又似时代种在它自己身上的牛痘。时代剜剔不掉我们，我们挣脱不开时代。本质上难变的我们，与各方各面迅变着的时代之间，将弥漫开来互不信任互不适应互难调和的云翳。是追随这个过分任性的时代，往自己身上涂抹流行色，抑或像战士固守最后的堡垒一样，与这时代拉开更大的距离摆开对峙的姿态？哪一种选择都未必会是情愿的……

我们这一代人的痛苦其实也不过就是我们这一代人的尴尬。

这一种尴尬将伴随这一代人走完人生之途程，可能愈在将来其尴尬愈甚。

一个时代在意识形态和观念方面究竟可以负载多少？这个问题和一个无限的空间究竟可以充盈多少空气属于同样的问题。但中国的情况刚好相反。中国曾经是一个封闭的国家。中国的情况曾经就是这样。然而中国今天的情况已经根本不是这样。封闭局面打开了。却仿佛只开了一扇门——由绝对的封闭变成相对的封闭。从那扇打开了的门拥进来了文明资本主义、野蛮资本主义所属的意识形态和价值观念。它们互相抗衡，同时一齐受到顽强抵御——对于我们这个时代，这样的负载已经够沉重的了！意识形态方面的较量使当代空前浮躁。在浮躁大时代意识形态的构架中原本占据主导地位的观念，即所谓共产主义和社会主义思想体系，受到了挑战。

是否太悲观了点呢？也许……

进一步指出的是——我们这一代，正是受所谓共产主义思想和社会主义思想，以及一切与之相适应的观念教化成的一代。

但是，正是这一代人，在他们的思想中，保留下了最为可贵的成分——那便是对国家的责任感，对民族的忧患意识，对人民的命运的关心。也正是在这一点上，我很爱我们这一代人。因为我们这一代人思想中所保留下的，乃是任何一个公民都不可缺少的品格。

我们这一代人习惯了在对与不对之间进行判断，并且直至目前仍习惯于此。

我们的下一代人却总是在利于己或者不利于己之间进行判断，并且将这种判断过程越来越简化。

当然，这是非常岁月两代人之间的区别，并且是总体上的区别。

非常岁月却不仅两代人，几代人都有可能走在一起。

非常岁月绝不是对一代，而是对具体的每一个人的检阅。

非常岁月人人都有可能超越代沟，人人都是"那一个"人或"某一个"人。

古罗马有位圣者，一天他将手臂伸出窗外，恰巧有只衔草的母雀飞来，竟落在他的手臂上筑巢，继而生蛋，继而孵蛋……

圣者当然是大慈大悲的，于是他想啊，若将手臂缩回，那雀儿就有倾巢之灾。即便不至于倾巢吧，雀儿惊去，将开始形成的些个小生命，不就永无啄壳而出之日了么？……

人类的最高文明不就应该尊重生命么？

于是圣者立意不动，不吃亦不喝，经月余，小雀孵出，随老雀飞走，而圣者站在窗前死去……

以此事为例，我们的前辈大约会谆谆教导我们：

看，这样是善的榜样。这便是善的楷模。好好学习吧，你们！

我们也许会对这种诲人不倦的教导逆反的。因为我们这一代呵，总是处在被教导的地位！但我们中的大多数，尽管逆反，也仍是会学习的。

我们的思考逻辑大约是这样一个过程——那果真是善么？按照我们所受的传统教育来判断，那无疑是善的。那么前辈们的教导便是正确不误的。那么我们怎么可以不学习这样的榜样和楷模呢？

如果我们学习不了，我们就会惭愧。我们就会内疚。我们就会虔诚地谴责我们自己——境界是多么的低下啊！

我们这一代人总受一种塑造自己趋于完美的意识所纠缠！而完美不要说根本就不存在，连真善美与假丑恶的概念，有时也混淆不清。

我们的无限的尴尬正在于此。产生这尴尬的精神、心理、思想、观念之难言苦衷正在于此。我们不会模仿我们的前辈。因为我们曾经自感没有前辈们那份儿进行教化的信心。而最主要的是我们曾经自感没有那份儿热忱和义务。我们普遍地已悟到了一代人必有一代人的活法，而这是由时代所决定的。哪一代人头顶上的"天"都不会塌下来。

我们活得不轻松。我们已相信使每一个人都活得轻松才是"天之正道"……

还谈古罗马那位圣者的例子。这个例子对于我们的下代人会提供怎样的经验呢？也许他们会这么说吧——嘿，傻帽儿哎！

他们中之精英，则会从价值观念的高度来进行批判——那么所谓"圣者"，在他们看来，即使不是可笑的，也是迂腐的。

站在窗前的时候，万勿将手臂伸出窗外——他们会从中吸取这样一条教训，并且把这样一条教训传授给他们的孩子。

"可是……如果我已把手臂伸出了窗外，已有那么一只雀儿落在我的手臂上，我该怎么办呢？……"

倘他们的孩子发出这样的诘问，他们也许会非常干脆地回答："那就把手臂缩回来啊！别学那个傻帽圣者，他活该！你把手臂缩回来了，那雀儿活该！但是不许你把手臂伸到窗外去！一次也不许！看到你那样，瞧我不揍你！……"

我们这一代会就此例如何教导我们的孩子们？我不去说，你们自己去想象吧！

这是两代人之间的原则性方面的分别么？也许算是。

也许不是。就算是，从观念上，谁能判断哪一选择更正确呢？我们的下一代人，以他们自己的判断力为最正确。并且相当自信。一点儿也不怀疑自己。我们这一代人，即使做出按照我们的观念是正确的判断之外，也是缺少自信的。

可以说我们的下一代人对自己常常是充满自信的。

可以说我们的这一代人对自己常常是充满怀疑的。

而我们的下一代人，可能对自己满意，可能对自己不满意。可能自信，也可能沮丧。但他们大抵不会怀疑自己。他们宁肯怀疑世界，怀疑人类，怀疑人生，怀疑社会，怀疑一切现存的观念基础，却很少怀疑自己。

有一次，我在一所大学讲座，有同学递条子，问对我影响最大的毛泽东的论文是哪几篇？

我想了想，回答他们——是"老三篇"。是《纪念白求恩》、《愚公移山》、《为人民服务》。

他们问为什么？

我坦率地说——也许这三篇文章充满了感召力。试想想，《为人民服务》，赞美无私无欲；《纪念白求恩》，赞美奉献之精神；《愚公移山》，赞美意志。

西方有这样一则故事：

行将就木的人们因为找不到牧师，感到灵魂无处安置。于是天天捧着自己的灵魂，乞求上边派一个牧师来安置他们痛苦的灵魂。一个月后，牧师终于来了，但小镇上的居民却对牧师说，没有牧师安置我们的灵魂，我们虽然生活在地狱里，但感到没有人管制我们的灵魂是非常轻松的……

我与子龙在武钢讲时，我谈到这个故事——因为它就写在我的《雪城》下部中。

我看我们这一代，太习惯于将我们的灵魂交付给谁或什么了。这是我对自己的醒悟了的一点儿遗憾。也是我对我们这代人带有批判的一点儿遗憾。

其实我们的灵魂首先应属于我们自己。它的主宰不应是别人而正是我们自己。没有比自己做自己灵魂的主宰最正当也最必须的了！

我们是时代的活化石。我们是独特的一代。无论评价我们好或不好，独特本身，便是不容被忽视也不容被轻视的。

重要的是，我们这一代人不要轻视和嘲笑我们自己。我们这一代也不要欣赏我们自己。我们没有任何轻视和嘲笑自己的理由或根据。我们也没有任何欣赏我们自己的理由或根据。

我们就独特地生活着存在着吧！不必和别人一样。也不必任性地和别人太不一样。

在独特之中，我们这一代的每一个人，都有与别人同样的权利生活得更宽松些。万勿放弃这一权利——生命对人毕竟只有一次……

关于农民的"真理"

前苏联电影《列宁在十月》中有这样一段情节，或按电影界的话来说是一场"戏"：

一个"农民"的"代言人"从乡下来到莫斯科，竟得以进入克里姆林宫，要求见列宁一面；他有话要代表乡下的"农民"们对列宁说——他声称自己是代表"农民"们来寻找"属于农民的真理的"。

正巧，列宁那会儿没什么重要的革命工作，于是接见了他。

列宁客气地请他坐下。我们都知道的，伟大的列宁同志对于工农兵尤其他们的代表人物，一向是平等而友善的。

那"农民"的"代言人"却没坐。他多少有点儿局促，但却绝对没有显出卑微的样子。那是个身材高大的"农民"，在身材矮小的列宁面前，他占尽着体格方面的优势。他之所以没坐，观众可以理解为是不屑于在不愿一坐的地方坐下去。从他的表情上可以看得出，他对克里姆林宫这个已经变成了每天发出一道道革命指示的地方心怀着分明的敌意。

他开口便问：土地自古以来是属于谁的？是属于我们农民的，对吧？粮食是谁在地里种出来的？也是我们农民，对吧？没有粮食，我们农民就无法活！那么，就再也没有人来种地了！你们城里人会到乡下去种地吗？不会的！可现在呢，你们城里人却跑到乡下去，将土地从我们农民手中没收了！还一车车地拉走了我们刚刚打下的粮食！听说你是拥有真理的人，请问，这世界上还有属于我们农民的真理吗？如果革命是你们苏维埃的真理，那么我们农民的真理又是什么呢？……

以前看过《列宁在十月》这一部电影的中国人，应当都记得那一个前苏联国内革命时期的农民的振振有词。特别是穿插在他的话语中的"对吧"二字，被配音演员说得"中国味儿"十足，给人留下极深刻之印象。

然而列宁同志是头脑多么敏感的人！他没听几句就听出破绽来了。轮到列宁同志开口时，他照例将双手卡在西服背心的肩边那儿，以从容不迫而又洞察一切的口吻反问：我只知道这世界上有贫农、中农、富农和地主，不知道这世界上有什么你所谓的农民。请问你是你所谓的农民中的哪一种人？

在列宁的追问之下，那寻找属于"农民"的真理的"农民"，不得不承认自己拥有多少多少亩土地。

而列宁按照阶级分析之法，立刻言之有据地将他划成了"富农"。

接着列宁同志以他那一向高亢的语调说："不错，土地应该属于农民！但是更应该属于所有的农民，而不是仅仅被少数地主和富农霸占着！我们苏维埃的革命，要完成的大事包括这一件事！我们把土地从你们手中没收过来，是因为你们地主富农对土地的占有是没有什么道理的！如果你们反抗，我们就镇压你们！我们没收的也不是你们的劳动成果。粮食对于你们是不劳而获的东西！你们的粮食满满的，吃都吃不完，而城市里许多人却在饿死！如果你们不愿意，我们就说服你们。如果你们还不愿意，我们就把不属于你们的劳动成果抢夺过来！如果你们反抗，我们也要镇压你们！"

结果当然是，那个富农，并没有从列宁那儿寻找到什么"农民的真理"。

他悻悻而去时嘟哝："走着瞧！"

列宁冲他的背影大声说："告诉那些派你来的人，苏维埃是不会怕你们的！"

往事如烟，苏联作为一个国家竟已不复存在。《列宁在十月》这一部电影，对于80年代乃至70年代以后出生的中国人也无疑是"过气"了的经典。他们所能看到的依然和列宁这个名字连在一起的电影，大约只有德国人拍摄的《再见列宁》了。在这一部电影中，列宁的巨大铜像被吊车扯倒的画面，令人思索万千。

《再见列宁》这一部电影的光碟我也看过了。

所以，我这个本身虽不是"农民"的人，每每不由得作无聊人的乱想：

就算这世上并没有什么"农民"，而只有地主、富农、中农和贫民吧，那么果然有过属于什么中农和贫农的"真理"吗？

进言之，如果将以上问题限定为一个中国或曰中国特色的问题，那么结论又应该是怎样的呢？

众所周知，中国之革命，是农民的革命。确切地说，是虽生为农民却没有属于自己的土地的人们的革命。

由于中国是世界上人口最多的国家，所以1949年以前的中国"失地"农民也最多。由于中国在近代的工业发展极为落后，所以大批"失地"的农民根本无法转变为能够在城镇里生存下去的城镇人口。

于是，革命遂成他们唯一的活路。

于是，革命遂成他们的"真理"。

"耕者有其田"——他们要的只不过就是这么一点点世界的公平。为此，他们的成千上万的儿女前仆后继，虽肝脑涂地而在所不惜。

可以有把握地说——在这个世界上，没有另外任何一个国家的"失地"农民为了自己以及子孙后代们拥有几亩土地，比中国的"失地"农民所付出的代价更惨重。或者反过来说，中国的反"失地"农民仅仅为了获得可以身为农民而又能够生存下去的几亩土地，付出了人类有史以来最为巨大最为惨重也最为悲壮的代价。以"惊天地，泣鬼神"形容之，恰如其分也。

1949年以后，他们如愿以偿了。

无论在现实中，还是在文学作品中、戏剧中，乃至绘画中——攥在地主富农手里的地契被烧毁了，在共和国以新政权的名义分到他们各自名下的土地的边界钉下木界牌了；那时的他们眼中流着泪，趴在属于自己的土地上号啕大哭的情形，无疑乃是震撼人心的……

此刻，似乎再巨大再惨重的代价都是值得付出的了。因为代价是那么地触目惊心，胜利后的报复遂成不争之事实。

然而，土地归在他们名下的时间却不过是短短的两三年，紧接着一步步的又归在互助组、合作社、人民公社的"集体"的名下了。

之所以将"集体"二字括上引号，并非质疑"集体"之性质的不真实，而是为了着意指出，对于中国"人民公社"的社员，他们实际上又成为了没有属于自己的土地，而仅仅拥有在集体的土地上从事农业劳动的权利的人罢了。

计算他们的劳动力的价值的方式是工分。

中国人都知道的，那一向是很低很低很低的。

凭了工分记录，他们年终可以分到极少极少极少的钱。

那点儿钱仅够他们买得起有限到最低程度的一般日常用品，比如盐、火柴，以及也像城里人家一样凭票供应的布匹。

中国之许许多多地方的许许多多的农民，在改革开放以前，一年到头甚至尝不到几次酱油。穷得一家人合穿一条裤子的事，也决然不是编造的。

他们生存下去的口粮是每年秋季分到的没有加工过的粮食；加工之后，其实每一人口每月的定量，并不会比城市人口多到哪儿去。有时候，还会少。他们的绝大部分劳动成果，都被作为公粮收缴走了。即使在灾荒年代，土地上所产的一点点粮食，也要本着"先公后私"的原则来分配。也就是说，公粮是必须先收缴的；农民吃什么过后再考虑。而实际情况往往是，收缴了公粮后，农民亦即"人民公社"社员，通常只有拖儿带女去逃荒……

在列宁的那个年代，在列宁的眼里，世界上是从来没有过什么农民的，而只有地主、富农、中农和贫农。

列宁在逻辑上是正确的。他的逻辑符合"马非马，白马为马"的哲学逻辑。正如世界上没有逻辑学上的"妇女"，而只有现实生活中形形色色的女人。

苏维埃革命使世界上从此有了一种新的农民——自己并不实际拥有土地但必须而且只能在土地上勤勤恳恳辛辛苦苦地劳动的农民；他们叫集体农庄之庄员。

集体农庄之庄员也罢，人民公社之社员也罢，叫法不同，本质上是一类人。

于是，一个哲学逻辑上的悖论在世界上产生了——马即白马。

这是一个由减法得出的结论——消灭了地主、富农；改造了中农；于是在前苏联和以前的中国，只剩下了一种农民——不实际拥有土地但必须而且只能在土地上勤勤恳恳辛辛苦苦地劳动的农民。他们理论上绝对是土地的主人，但是他们在土地上收获的劳动成果，必须而且只能以世界上最低的价格卖给国家。一切不是卖给国家而进行的买卖，都被视为非法行为。有时制裁那样一种非法行为的刑律是很严很重的。

结果更大的一个悖论在世界上产生了——革命真的使早先的"失地"农民寻找到了属于他们的"真理"亦即公平了么？

他们为此曾付出了那么巨大那么惨重的代价，倘那"真理"确乎地理应存在，他们实际上离它近了还是更远了呢？

几乎只能作出一种解释——在中国，在革命成功以后，为革命付出的代价最巨大最惨重的那些常常被我们中国人亲爱地称为"农民兄弟"的人们，他们实际所享的革命成果倘偏言之凿凿地说有，那实际上也是轻微得微不足道的。

他们成就了中国之革命。

他们成就了中国现已取得的一切煌煌成果。

事实上是，自1949年以后，他们已根本不再叩问理应也存在的，属于他们的"真理"亦即公平，为中国而圆着共和国之梦。

具体而论，有人格上这样的农民，也有人格上那样的农民。

但总体而言，依我想来，我们中国之"农民兄弟"，实在可以比作是我们中国的一个人口最多的"圣徒阶层"。

整个的中国农民阶层，他们是一个具有宗教般奉献特质的阶层。

我记得温家宝总理有一次访问灾区农民时，一个农妇说："谢谢总理来看望我们！"

而温总理说："应该说谢谢的是我，是政府。因为你们在灾情中顾全大局的表现是令我感动的。"

窃以为，温家宝总理的话，等于代表政府，还给了中国农民一个"真理"。

免除贫困地区农民子弟的学杂费，也只不过是还给了中国农民一个早该还给他们的"真理"。

彻底免除农业税，也是。

上苍见证，迄今为止，中国给予中国农民的，比他们给予中国的，可要少得多！

对于中国农民刚刚才获得了这么一点儿公平，稍有良心的中国人是绝不该摇头皱眉摆出这个家那个家的嘴脸说三道四的。

那还算是个人吗？！

低消费，也潇洒

这厮自然是一个心甘情愿的低消费"主义"者。这厮也自然便是我自己。低消费而且"主义"，无论怎样地表白并没有鼓吹的意思，都是枉然的。因为但凡是个"主义"者，总难免招来企图以自己的"主义"去影响别人的活法的嫌疑。但我本性上其实断无这种坏念头。倘谁们不小心受了我的影响，其后大觉不幸，或被家属亲戚朋友同事一干人等纷纷地认为不幸，我则自忖有言在先，是没什么罪过的。不奉陪打官司，补偿"心理纠纷"或"精神损失"之类……

在本季节，扳着指头一算，一身从上到下，从里到外，统统加起来，不足70元——五六年没穿过自己买的背心了。有一时期，我们儿影每拍一部影片，便印一批广告背心。就在写这篇小文时，《哦，香雪》仍穿在身。而它早已是完成于1989年的影片了。衣橱里还没穿的背心上，有的印有"北京机械学院"，有的印有"深圳青年"，有的印有"××旅行社"，总之三五年内还不必买背心……

有次乘飞机，觉得"空姐"们对我格外亲切，就很纳闷儿。回到家里才明白，原来穿的一件印有"××航空公司"字样的背心，而所乘也正是那一航空公司的架次。却想不起来是在什么时候什么情况之下得到了那么一件背心……

还有次出差，独行闹市，发觉无尽的目光，锥子似地盯在身上，凝冷而且——分明地怀着仇恨似的。私下暗想着此地的人欺生何以到了这等地步，恰巧遇到了北京的熟人。把自己的困惑对他说了，他绕我一圈儿，就脱下他的褂子让我穿上，陪我走至僻静处才开口道："老兄，你怎么敢穿着印有'××公司'字样的背心招摇过市？中央电视台刚刚播了'××债券'是一个大骗局的新闻，此地几万受骗者们正不知找谁去算账呢！……"

　　惊出了一身虚汗。自忖和那么一个轰动全国的大骗局毫无勾搭啊，可背心又是从何而来呢？

　　说起来，这时代很像一个穿背心的时代。其实这类赠送的背心，估计许多人家里都会有一两件的。只不过一些体面的讲究绅士风度的男人不屑于穿罢了。这广告如洪的时代，简直是太成全我这个低消费的男人了……

　　当然较庄重的场合，还是以背心外再穿件褂子为宜。于是便有了几件褂子，某天散步，顺便逛早市，忽听一阵富有吸引力的吆喝——"衬衣衬衣，不惜血本大甩卖，八块钱一件啦！……"

　　不禁的就驻足，就回望——这年头，物价以百分之二十几的幅度上涨着，八块钱还能买件衬衣么？于是便走回去，也不挑，买了两件便夹回家。妻见了，翻着白眼说："又是从早市上买的处理货？"我说："都不在早市上买东西，人家还辟出早市干什么？"

　　并不觉着多么难为情——文化人买便宜的东西未见得就不文化了。一身名牌儿也不见得就更文化到哪儿去。一件衬衣如果几百元，上千元，纵然是好得不得了，纵然你的形象很重要，不充那号"冤大头"又怎样？会血压升高心肌梗塞从此癌症潜伏么？……长裤当然也是早市上买的——十九元一条，已穿了两年了。鞋嘛，二十二元一双。

我穿着总价值七十来元从里到外从上到下的一身，就很热爱生活。而且不消说还能穿得比从五十至八十年代好，这生活就起码可满足了。

　　至于我自己，绝不敢在生活水平方面冒充"百姓"，收入要比他们高不少。低消费乃是为了使高消费者们的队伍更"纯洁"些。我看于中国而言，这支队伍不必人为地煽动着它的扩大。这种煽动，从表面看，似乎能在一个时期内猛增某些经商个人、集体、商企或国家的巨大利润，但从长远看，却近乎饮鸩止渴。低收入水平的，百分之九十以上的中国人，尤其不要经不起高消费鼓噪的煽动。你经不起煽动，你明明达不到高消费的收入水平，却偏要挤进高消费者们的队伍，结果乃是你扩大了它，你中了牟取暴利的商业的诡计，它反过来有理由继续高抬一切商品的物价，并将这一灾难转嫁于老百姓，其中当然也包括你自己，你的家人……

　　抑制通货膨胀，除了国策的宏观调控，还要有老百姓的配合意识。老百姓如果不为高消费的种种煽动所蛊，某些商品价格的不道德的抬高，则只能是牟取暴利的商业利润追求者们的尴尬。商业也是有道德与不道德之分的。一种商品如果其利润高达几十倍、近百倍，乃至几百倍时，无疑是人类社会最不道德的丑陋现象之一。比如月饼，几千元上万元一盒是极荒唐的。普遍的老百姓若不意识到这是对自己过一个传统的民间的节日之权益的亵渎，也跟着凑钱借钱去买，则不但不令人同情，反而令人讨厌了。那以后中国人就将吃不上几十元一盒的月饼了。"中秋节"对普通老百姓也将不"节"了……

叹北方
——中国高干子弟备忘录

这里说的北方，不是地域，而是人名。男人的名。

他姓周。

周北方乃是首都钢铁公司前任"第一把手"周冠武的第二个儿子。

周冠武在北京在全国冶金系统，曾是个鼎鼎大名的人物。全国人大代表。中央候补委员。自从1993年邓小平去首钢巡视了一次以后，他又似乎是一个有着硬邦邦的"背景"的人物了。亦即老百姓所说的"通天"人物了。其实那也算不得什么非同小可的巡视。不过就是走走，看看，说了些话而已。却被某些人存心某些人无意地传播得神秘兮兮的，沸沸扬扬的，在当年的中国，仿佛成了一件莫测高深的大事。巡视的结果，据说是使我们的一位副总理，不得不被动之极地亲率十来位部长，也在其后去到首钢"现场办公"，对周冠武直言相问："那么你对中央还有些什么特殊要求，只管开口提吧！"

我的首钢的朋友们这么告诉我的。

于是周冠武似乎既不但"通天"，而且似乎就要改姓了似的。

周北方那时已是首钢的什么对外贸易公司的总经理了。一人之下，万人之上。总揽首钢对外贸易的完全的实权，也是首钢最重要的权力之一。能够直接"领导"他的那唯一的人，正是他的父亲周冠武。恰如大

176

丘庄的禹作敏才有资格"领导"自己的也当什么总经理的儿子一样。

北方当年也曾是黑龙江生产建设兵团的知青。即世人统称为"北大荒知青"中的一个。我不太清楚他在北大荒究竟待了几年。我认识他是在知青返城以后。具体说，是在1989年。

那一年北京当年的"北大荒知青"发起搞了一次《北大荒知青十年回顾展》。我是组委会成员之一。北方也是。搞"回顾展"，当然需要资金。资金要靠向社会各方面拉赞助。我至今并不清楚当年究竟拉了多少赞助。我在这方面毫无能力。我只参与形式和内容的审定与策划。绝大部分解说词是我写的。而北方的贡献则大概在赞助方面。当然也非是他个人赞助。他当时已是首钢某公司的副总经理了。已经可以个人做主批一笔赞助款项了。

"北大荒知青"们因为当年精神上肩负着"屯垦戍边"的使命，而且按军队建制组编，故彼此又互视为"战友"。不管当年认识的或不认识的，间隔着团或间隔着师的，都特别看重当年的一份"战友情"，便是那种常被世人羡慕也常遭世人冷嘲热讽的"知青情结"。

当年，组委会中不止一人对我说过类似的话："北方很够意思。一听要搞'回顾展'，二话没讲，爽爽快快地就答应了。而且表示，只要有用得着他的方面，只要他不十分为难的事，绝不推诿。"

故在我还没见到他之前，已受着"战友"们的影响，对他颇怀好感了。

"回顾展"结束以后，我终于在组委会的一次答谢活动中见到了他。高高的个子，相貌堂堂，身材魁梧。他似乎是个不善言谈的男人。而我在那种场合也往往话不多。我们之间没单独交谈什么。

答谢自然少不了吃饭。饭桌上，有人一再悄悄建议我郑重其事地说几句什么。我想我说什么呢？非要说，无非就是再重复别人已说过多次的，对赞助者衷心表示感激的话。也的确是心里想说的话。经济是基础。没钱办不成"回顾展"。

我正打算说，不料北方却先于我站了起来，擎着杯对我开口道："晓声，刚才咱们已全体干了几杯了。这一杯我单敬你——你以前的几篇反映咱们北大荒知青生活和返城经历的小说我几乎都看过。但我也老老实实承认，近年来很少看小说了。忙，顾不上看了。我对你有个希望，我想也能代表在座的大家，以及不在座的我们更多的战友。这希望就是——再为咱们北大荒知青多写几部好作品！别光写咱们当年被发配那一段生活，再写写咱们今天龙腾云虎生风大有作为前途不可限量的一批！这一批是咱们北大荒知青的骄傲！"

于是众人鼓掌。

于是他一饮而尽。

我只能舍命陪君子，也一饮而尽。

那是他在答谢活动中说得最多的一段话。落座后不久，他因还有公务，先走了。

而我打算对他说的感激的话，因为那一杯酒的迷晕作用，在他走前竟没对他说成。

我当时觉得他对我说的话还是很中肯的。非是虚与周旋之语。现在也这么认为。这倒不因他对我似乎另眼相看，而因他的坦率。比如他说"近年来很少看小说了。忙，顾不上看了"。若换一个说起话来预先在心里掂量再三的"战友"，当着我这个以写小说为职业的人，定会省略了不说。

于是我对他的好感又增加了几分。

不久他设宴回谢我们一干人等。由于他是主人，由于在首钢地盘内的一家宾馆，他的话比上一次多了。酒也喝得主动了。初识那种拘谨荡然无存，渐渐在言谈举止方面，有意无意地显出了一个"前途不可限量"者的无比自信和踌躇满志。但绝没有到得意忘形的地步。也许别的"战友"们都并未看出来，只不过因为我是写小说的，对人的观察太细致太敏感罢了。

却没有破坏我对他的好印象。

我一向认为，若一个人有某种自信的资本，踌躇满志是理所当然的。

那时我只视他是我的一个幸运地开始了人生的第二次转机的"战友"，并不将他和他的父亲连在一起看待。

周冠武是怎样的一个人物我并不感兴趣。

周冠武在首钢再怎么的"一句顶一万句"，再怎么的一跺脚全首钢都颤，也是既抬举不到我头上，并奈何不了我一丝一毫的。

何况，当时我也只不过从别的"战友"们的口中，片片断断地了解到北方的父亲是一个"特权人物"，以及如何厚爱北方这个儿子罢了。

那一次我们之间也没多聊什么。

大约三个月以后，他的一位秘书给我打来电话，说北方希望见我一次。我问什么事，答曰不清楚。

于是我们在一天下午见了。

是他到我家来。我在街口迎他。他坐的是一辆很高级很气派的大轿车，我对轿车的级别所知等于零。仅能看出那是一辆外国名车。中国造不出那么高级那么气派的大轿车。

他开门见山地和我谈两件事——第一，希望我调到首钢去。更准确地说，是希望我考虑考虑能否调到他名下去……

这太出乎我意料。

我怔了半晌，讷讷地说我是作家，调去了能做什么呢？

他说——晓声，其实也不需要你具体做什么，平时等于将你闲养起来。需要的时候，你为首钢动动你的脑，动动你的笔就行了。所谓"养兵千日，用兵一时"的关系吧。不过我可不是仅仅将你当"兵"养，而是当"将"养。你有什么条件，尽管提。只要不过分，包在我身上……

我暗想，那么一来，我不是成了"幕僚"了么？

依我的常识，古今中外、凡甘为"幕僚"的人，几乎无有好下场者。何况，做"幕僚"，得有起码的资格。我只会写小说。除了这"一技之长"，其他方面几近于废人。自忖毫无充当"幕僚"的任何资格。但北方他当面坐着，真挚而又虔诚，使我不忍坚拒。只好施以缓兵之计，说容我慎思以后再做答复。

北方他给了我一个星期的考虑时间。

第二，是请我执笔，写一部反映首钢"改革开放"之"大思路"的"系列报道电视片"。并从拷克箱内取出一叠材料给我。说要求成为首钢的一部"磁带文献"，希望在全国造成巨大反响……

当时我正日日埋头于自己的计划内创作，当即推诿，深表歉意。

便见北方脸色一沉，分明地，有些不悦起来。

他说不是没人愿写，愿写的人多极了。说这事其实本与他的职责无关，是他"横插了一杠子"，手拍胸脯替我大包大揽的。因为他对我的能力有完全的信任度，认为非我莫属。

闻言我竟诚惶诚恐。深觉自己太辜负他的信任，也太驳他的面子。叫他怎么向别人解释呢？不是等于拿他在别人面前的威望不当一回事么？

于是我又赶紧补充如下的话———一定认认真真地看材料，倘自认为可以胜任，宁肯将自己的计划内创作后延……

他脸上这才重露笑容，大手在我肩头一拍，义气厚重地说："还是战友！客套话我不讲了。否则，我离开你家，心里可就太别扭了！"

一星期后，他的秘书再打来电话，我将两件事都婉言回绝了。

秘书说："北方就在一旁，您直接跟他谈吧！"

而我最怕直接跟他谈。实在不知该怎么谈。我天生缺乏回绝别人的智慧和技巧。在这方面我是个低能儿。

便急说："不必直接和他谈了。千万别打扰他的工作！你替我转告就行了……"

放下电话，我觉得仿佛做了对不起他一辈子的什么事似的。一年多互无联络。

第三年中，我们北影文学部的一位老同志，央我帮他在首钢工作的儿媳妇调调岗位。我曾和他谈过北方。并许下过诺言，只要在首钢的范围内，若有什么需要关照之事，由我开口求助于北方，似乎是没什么大问题的。

但在我回绝了北方的好意之后，尤其在一年多互无联络之后，此事令我左右为难。

几经犹豫，最终还是给北方写了一封信。

我想这肯定是一封不被理睬、没有回音的信。

竟很快收到了秘书替他的回信。信中说一定"亲自过问一下"，"当成件事儿办"。

此事并未办成。

但我知道，他属下的一名人事处长，的的确确是替他"当成件事儿办"过的。并不完全是虚与委蛇的应付，也有我那北影老同志的儿媳妇期望值过高，后来改变了初衷的因素。

这使我对北方十分感激。

每有新书出版，总想寄他一册，但一忆起他"顾不上看"的话，便打消念头了。

我开始在某些场合，从某些人口中，较多地听到关于北方，关于他父亲的种种议论了。

北京人是敏感的。不少人都称得上是半个"中国现象专家"。

我开始替他担着份儿忧。

当年的"战友"中有人说："周北方现在能力大得很，身份也高贵得很了，出国住总统套房，与某某公子亲密无间，几乎可以称兄道弟了！"

首钢的朋友中有人说："首钢快成周家的父子承包公司了。周冠武会见重要的外国商团，陪晤的往往只有他儿子！"

很知内情的社会人士中有人说："除了一个陈希同，周冠武根本不将北京市委放在眼里！他对陈例外，那也是认为陈和他背靠同样的大树！否则他敢一贯地傲视冶金部，公开与中央和国务院的方针政策大唱反调？"

我曾亲见过一册首钢的"内刊"——《开拓》。周冠武的标准照占据整个封面。篇目中的特大字通栏标题竟是——"周冠武同志最新指示"，"冠武书记发表重要谈话"云云。

我不能不认为，我所听到的种种，无论出于哪些人之口，都不是捕风捉影毫无根据的。

于是我决定给北方写一封信。

执笔在手，面对稿纸，竟不知从何谈起。

尽管如此，信还是写了，也寄给他了。

不过只有两行字。是用很粗的签名笔写的。写在一张洁白的打印纸上。

那两行字是——高山之巅无美木，伤于多阳也；大树之下无美草，伤于多阴也。

我是用楷书一笔一画认认真真写的。希望他能压在他办公桌的玻璃板下，自省且自律，自警且自诫。

我是用最大信封寄的。因不愿折那一页纸。而且贴的挂号邮票。我想他肯定是收到了的。我已无法将我想要说的话表达得更明白更易懂了。除非他弱智。

我抄录给他的是汉朝刘向的两句话。

没有回音。

我也并不期待着回音。

只不过是对他毕竟帮过我一次的回报。虽则非是我本人求助于他，而是替别人求助于他。

如果说还有别的什么因素促使的话，那便是"知青战友"间的一种情谊了。倘在他那一方，对我确曾有过的话。我想最初无疑是有的。这我能感觉到。我也不弱智。我想后来就消弭了。因为那是我和他双方都无法长久保持的。好比《红灯记》中李玉和唱的——"两股道上跑的车，行的不是一条路"。

再后来，收到过以他名义寄来的一份印制精美的请柬——他的公司将举行什么晚会。

一名当年的"战友"也收到了，打电话问我去不去？

我说不去。

又问没空儿？

我说有空儿也不去。

再问为什么？

我忍不住大声吼——你听着，周北方正在得意洋洋地迈向险境！腐败在我们这一代人中也会物色扩散体的！……

对方沉默良久，低声说："那我也不去……"

再再后来，就听到他被逮捕了。

我相信，此一经济大案，在全国公布以后，周冠武将因他的儿子而又一时间"名声大噪"了。正如北方因他的父亲，当初由一名"北大荒知青"而在首钢青云直上，几步跃到了一人之下、万人之上的高职。

有传言说他已经死了。

有传言说他并未死。但成了植物人，不能更多地交待什么了。

有人认为他不死也得被枪毙。

有人认为他还能更多地交待什么也没用。因为牵扯到了某某公子，因某某公子又必然地将影响到……

好像就要像有些人胡说的那样什么反腐败亡党，不反腐败亡国。

未免太偏激、太悲观。但老百姓的头脑中，自有他们自己的逻辑。不管这种逻辑错与对。

正如他们说——死了谁地球都会照样转！中国都会照样发展。

但我每每想及北方，心中总不禁顿生一缕悲哀。

如果他不是周冠武的儿子，他的人生绝不会这么个了结法儿。

如果他不和那一个"公子"关系密切，他的人生也不会这么个了结法儿。

如果他父亲不自恃有"背景"，两年前就该弃权下台了。也就不会自作主张地将他推到类乎首钢"第一把手"天经地义理所当然的"接班人"的地位……如果……

北方，北方，你知道么？——我为你一叹再叹……

叹你，于你又有何意义呢？

悲你，于我又有何祈求呢？

嗟呼：

无受天损易，
无受人益难，
古来香饵下，
触口是铦钩！

万千说法

其实，"廉政"这个词，古已有之。历朝历代的君王，为了他们的江山社稷，都倡导过"廉政"。有的朝代制订的朝纲，对大臣们还极严格。触犯了，丢乌纱帽是轻的，重的还可能掉脑袋。然而历朝历代，敢以身试法之人，都往往会替自己寻找出万千说法。说起来还振振有词。

某朝某代有位御史，奉了朝命下去巡查，地方官吏为谄媚于他，杀了羊给他吃——当时正值天旱，朝廷照例禁止屠宰。

御史一看端上来羊肉，故意将脸一板，厉声质问："为什么杀羊，难道不知朝廷禁令么？"

厨子早被交待过了，镇静回答："不是杀的，是豺咬死的。"

御史说："这便另当别论了。"

于是心安理得，大快朵颐。

俄顷又上来了牛肉——御史又故意将脸一板，厉问："怎么胆敢宰杀耕畜？！"

厨子一急，随口回答："也是豺咬的……"

御史一拍桌子："尔想欺骗本御史不成？牛大豺小，豺何能咬死牛？肯定是虎咬死的无疑！"

厨子忙说："对对，是虎咬死的……"

于是御史大人不但心安理得地吃了"豺咬死的羊肉"，还心安理得地吃了"虎咬死的牛肉"、"狼咬死的马"、"鼬咬死的鸡"、"獭咬死的鱼"等等，以及"酒窖漏淌出的酒"——为着不使好东西被糟蹋，自然也就不饮白不饮了。

前一个时期中央三令五申禁止以公款大吃大喝，我就听到过好多说法，诸如——

饭店酒店营业额严重下降，导致餐饮业萧条……

不吃不喝，大大延宕了招商引财……

公款吃喝，应视为一种社会主义的现代商业润滑方式……

等等等等，不一而足。

真是——说法何其多，种种皆误国，"虎"、"狼"处处有，牛羊入火锅！……

附：

价值的转换

一位勤劳的农民，从自己的菜园里收获了一个大得不得了的南瓜，他又惊又喜，把这个南瓜献给了国王。

国王一高兴，赐给农民一匹骏马。

这件事很快家喻户晓。

财主想——献一个大南瓜，就能得到一匹骏马。如果献一匹骏马，国王会赐给我什么呢？

于是财主向国王献了一匹价值连城的千里马。

国王同样很高兴，吩咐侍臣："就将那个农民献给我的南瓜，赐予这个献给我骏马的人吧！"

　　结果财主得到了南瓜……

　　在历史和现实中，个人、集团、民族乃至国家，献出骏马而最终只不过得到南瓜的例子是不少的——哑巴吃黄连，有苦说不出。

　　从财主的逻辑中反省点什么，是完全必要的……

医生的位置

据说，进行过这样的民意测验——"你最尊敬的十种人"。并要求以职业排列。

我不以职业来作为什么可尊敬或不可尊敬的原则。道理是那么明白，可敬的人不都包括在可敬的职业中。从事可敬的职业的人中，也有不可敬甚至可恶的人。如果将"尊敬"改为"重要"，我想我会排列如下：

一农民、二政治家、三科学家、四医生、五教育工作者……

医生这一职业的社会位置，现在是越来越突出了。无论在中国或外国。你可以从第四位往前移它，不但移到科学家前边去，甚至直接移到政治家前边去，政治家也保准没什么不满情绪。因为人活着，第一要有饭吃。第二千万别生病。尤其别生危害生命的病，比如癌。而现在，不但生病的人多了。似乎得癌的也多了。一旦得了癌，似乎神医也束手无策了。但还是有区别的。比如发现的早或晚，医治的及时或不及时，手术的效果……好医生好医院保你多活许多年。否则，三个月半年，你就见上帝了。

有一种社会现象是如今"社团"多了。也就是"校友会"、"战友会"、这个"会"那个"会"的。反正只要一些人由于某种缘分在一起待过，都赶紧的联络感情，赶紧的抱成个团儿。起码是一些人中的这几个和那几个，这一些和那一些。不论一次旅游活动或一期什么学习班。仿佛比玩和学习还重要的更大收获，是又认识了一些人。当然，人认识人是一门学问。有人愿意结识有共同语言的。有人愿意结识有用的。而有用的，似乎没有共同语言，也有那么点共同语言了。

另一种社会现象是，在任何"社团"中，或在任何一些人形成的圈子中，医生大抵是不可或缺的人。医生这一职业，渗透性极强，从下里巴人，到达官显贵，都被视为愿意结识的人。身为医生们的人，自己可能很失落，很不愿交际。但不会因此而减少别人认识他们的渴望。

试问，哪一位局长或职位相当于局长的人，不认识一位或几位主治医生？哪一位首长，不认识一位或几位内科或外科专家？而普通百姓，只要有幸结识了一位护士、挂号员、门诊医生，如果对方也同样表示出乐于和自己交往的诚意，谁都会有种喜不自胜的感觉呵！是不是呢？那则意味着，你一旦生了病，医院对你不是那么望而却步的地方了。你也许可以"走后门儿"挂上急诊号，医生询问你病情时，也许预先受到叮嘱，会细致点儿，不至于三五分钟便将你打发了。还可以开点儿好药、新药、特效药。

如果，一个社交圈子里，居然没有医生，那算是一个圈子么？那样的圈子，算是一个结构完整的圈子么？

谁的电话簿上，不是将护士或医生或仅仅是在医院工作的人，记在最明显的位置呢？

而这一种关系，有时简直意味着是一笔"财富"，非至亲至交的人，非大动了同情心怜悯心恻隐心慈悲心的时候，一般人是不肯轻易将这一种关系转赐他人的。

中国人与医生的关系，是人际关系中的至尚关系。普遍的人们，未见得非巴结着去结识一位局长或部长，但对医生，则是另外一回事了。

中国人与医生的关系，对于有幸有这种关系的人，简直又意味着是极其有价值的"专利"。

中国目前的中国式的"社团"现象，从本质上去分析，乃是对激变着的时代的忧患。而医生在一切人际的结合中，都是受欢迎的，实在是说明了两点——第一，中国人比以往任何时代都更加珍爱自己的生命了。这也同时说明社会进步了。正如反过来——对自己生命的无所谓说明人对社会的责任感降低到了极端。第二，看病在中国依然是"老大难"问题。尽管不断改善，但依然有苦衷。尤其对普通百姓们是这样。

当时代发展的利益还不能平等地具体到一切人身上的时候，当时代发展的负面作用强烈地困扰某些人的时候，人便企图同时代保持某种距离。于是人与社会的中介关系便产生。中国式的"社团"是中国人和中国目前时代的"扬长避短"的选择。既是被动的，亦是主动的。普遍的中国人，希望通过它的产生，感受社会发展的利益，削弱社会发展的负面的困扰。并且，希望它是"小而全"的。希望三十六行七十二业都囊括其中。那么换煤气、孩子入托、转学、生病、住院、往火葬场送葬，似乎一切都有了受"关照"的可能了。我常想，一位主治医生，一位外科或内科以及其他医科专家，在一切人际圈子中，其特殊地位大概不啻是一位"教父"吧？

于是医生这一社会职业，便具有了双重服务的性质。一方面要服务于广泛的人。另一方面要服务于某一社会层面，或曰人际圈内的人。这是由不得他们自己的。

目前许多大医院都实行了专家挂牌门诊。这是极大的好事。这就使平民百姓，也有相应的机会，请专家们诊一次病或动一次手术了！

我最近看到了《中国高级医师咨询词典》一书。这本书的问世是一件极大的好事。一件造福于民的积公德的事。这使深受病苦的平民百姓，可以从一部词典，清楚到哪儿去才能有幸受一位高级医师的治疗。否则，愿望落了空的平民百姓，企图在他们的人际圈子里去结识一位高级医师或一位专家，岂非"天缘"才可以实现的事么？

这对高级医师和医科专家们，也同样是好事。这就将他们，从"层面"范围的服务中"解放"了出来，使他们的高明的一技之长及宝贵的经验，得以从真正意义上服务于人民了。我想，这一点，肯定是他们十分情愿并十分自慰的。因为这一点，和医生这一职业的对人平等的人道主义原则是一致的。也是和我们常常进行教育的社会主义的优越性是一致的。

否则，不一致。

最后，我想对高级医师和医科专家们说，当一位平民百姓坐在您面前时，您千万千万要格外地细心格外地耐心呵！他们不是想接受一位高级医师或专家的诊断治疗，就可以通过电话联系上的人。他们不是从前根本不认识您，想认识您，便能认识上您的人。替他们想想，能坐在您面前，对他们是多大的幸运呵！也许费了多大的周折呵！

请多关照！

务必的，请多关照了……

在西线的列车上

2005年的11月，我应邀与中国作家协会的几位领导，前往甘肃天水参加一次民间举办的文化活动。但我和他们乘的不是同一车次——家址附近就有代理售票处，购票方便。于是我单独踏上了由北京西站始发的，晚上八点多开往西部的列车……

我已经很少乘长途列车了。

80年代初，我曾是前北京电影制片厂组稿组的一名编辑。陕西、甘肃、新疆都在我的组稿范围。所以那两三年内，我每年都是要乘坐几次西线的列车的。那时中国西部的农村人口，乘坐过列车的人还是很少的。成千上万西部农村人口向中国其他省份流动的现象还没出现。那时的中国，还是一个按地理区域相对凝固的中国。西部的农民如果要到外省去"讨生活"，大抵靠的还是他们的双脚。正如西部的一种民歌——"走西口"。80年代初曾有一篇口碑极佳的短篇小说《麦客》：描写当年因天灾收获自家土地上的劳动成果的希望已成泡影的西部农民们，为了挣点儿钱将日子继续过下去，成群结队越省跨界，去往中原和南方帮别的省份的农民收割庄稼的经历。在西部蛮荒的山岭之间，在原本没有路而后来被一代一代走西口的中国农民们的脚踩出的蜿蜒的野路上，他们的身影连绵不绝连绵不绝，越聚越多越聚越多，终于形成一支浩荡的不见首尾的队伍。他们甚至连行李也不带，很可能有的人家里就根本没有什么可供他带走的行李。除了别在腰间的镰刀和挎在肩上的干粮袋，他们身上再就一无所有。那是中国农民的"长征"，不是为了革命，而是为了糊口。隔年似乎是由兰州电视台将《麦客》拍成了两集的电视剧；在北京，在我的家里，我看得热泪盈眶。记得当年我抑制不住自己的激动，还给电视台写去了一封信，祝贺他们拍出了那么优秀的现实主义风格的电视剧。

当年一个三十岁左右的青年出现在列车的卧铺车厢里，那是会引起一些好奇的目光的。因为当年并不是一切长途列车上都有软卧车厢，硬卧已是某种身份的证明。购票前要经领导批准，购票时要出示单位介绍信。故当年的我，从没觉得从北京到西部是怎样难耐的旅程。恰恰相反，在好奇的目光的注视之下，我常会感到优越。自然，想到西部的"麦客"们，心里边也往往会颇觉不安地暗问自己凭什么？

当年我们许多中国人的意识方式真是朴实得可爱啊！

两三年后我调到了编剧组。以后竟再没踏上过西线的列车。屈指算来，已然二十余年了。

天水市委对文化活动极为重视，预先在电话里嘱咐——我们知道您身体不好，请您一定要乘软卧。我想到我是去的西部，买了一张硬卧。

严重的颈椎病使我的睡眠的适应性极差。夜里不停地辗转反侧，令下两层铺和对面三层铺的乘客深受其扰。他们抗议的方式是擂铺板、大声咳嗽或小声嘟哝些不中听的话。我猛记起旅行袋里似乎带了一贴膏药，爬起一找，果然。反手歪歪扭扭地贴到后背上；用自己的手无法贴在准确的位置，但那也总算起到了一点儿心理作用，于是不再折腾……

整个车厢我起得最早，盼着到天水。然而中午一点多钟才到。望着车窗外西部铁路沿线的风光从黎明前的黑暗之中逐渐显现得分明了，我似乎觉得那是我所乘过的车速最慢的一次列车；似乎觉得从北京到西部的途程比二十几年前远多了。列车晚点了一个半小时。然而我知道那不是使我觉得途程变远了的真正原因。真正原因是我自己变了。我早已由当年那个坐硬卧很觉得优越并且心生不安的青年，变成了一个不经常乘坐列车的人了。而中国，也变了。习惯于乘飞机的中国人与乘列车的中国人相比，尤其是与乘西线列车的中国人相比，在许多方面都发生了大的差别。每一座城市都尽量将机场建得更气派，更现代；因为它意味着也是一座城市面向国际敞开的窗口。而每一座城市的列车站，则空前地人群云集了。特殊的月份，往往满目皆是背井离乡的中国农民的身影。在大都市的机场候机厅里，一些人感受到的是一种关于中国的概念；而在某些时候，在某些城市包括大都市的列车站里，另一些人将感受到关于中国的另一种概念……

沿线西部的乡村，它们为什么一处处的那么的小？黄土抹墙的房舍，灰黑的鱼鳞瓦，家门前没有栅栏的平场，房舍后为数不多的苹果树或柿树；坎坡上放着几只羊的老人，在一小块一小块地里干着农活的老妪和孩子……一切仍在诉说着西部的贫困。

11月是萧瑟的季节。西部的景象裸露在萧瑟之中，如同干墨笔触勾勒在生宣纸上的绘画草图。偶见红的瓦和刷了白灰或贴了白瓷砖的墙，竟使我有眼前一亮的感觉。尽管白瓷砖贴在农家房舍的外墙体上是那么地不伦不类，然而一想到有西部的农家肯于花那一份钱，还是不禁有些感动。西部农民希望过上好日子的那种世代不泯的追求，像杨白劳给喜儿买了并亲手扎在女儿辫上的红头绳——父女俩自是喜悦着；看着那情形的人，倘对人世间的贫富差距还保留着点儿忧患，则就会难免地心生愀然……

从西部返回时，我登上了一次特别的列车。因为还要中途到广州去，故我得在咸阳下车，再去机场。

我持的是一张无座号的票，原以为注定是得在列车上站五六个小时了；却幸运得很，偏巧登上了一节空着几排座位的车厢。刚刚落座，列车已经开动。定睛扫视，发现自己置身在民工之间。手往小桌板上一放，觉得粘。细看桌板，遍布油污，显然很久没被人擦过了。于是顾惜起衣袖来，往起抬胳膊时，衣袖和桌板，业已由于油污的缘故，难舍难分了。于是进而顾惜衣服和裤子，往起站时，衣服和裤子也不那么情愿与座椅分开了，那座椅也显然早该有人擦擦却很久没被人擦过了。好在布袋里是有些纸的，于是取出来细细地擦。最后一张纸也用了，擦过后却依然是污黑的。这时我注意到对面有好奇的目光在默默打量我，便有几分不自然了——一个人和某些跟自己有些不一样的人置身在同一环境，他对那环境的敏感，是会令那某些人大不以为然的。这一点，我这一个写小说的人是心中有数的。当年我是连队生产一线的知青时，甚至以同样冷的目光，默默打量过陪着首长对连队进行视察的团部或师部的机关知青。那一种冷的目光中，具有知青与知青之间的嫌恶意味。何况，在那一节车厢里，我和我周围的人们之间的关系，连大命运相同的知青们之间的关系都不是。我将一堆污黑的纸团用手绢兜着，走过车厢扔入垃圾筒，回来垂着目光又坐下了。原来这一节车厢的绝大部分座位也都有人坐着，只我坐的那地方空着两三排座位而已。座位、桌板、窗子、地面、四壁、厕所、洗漱池——那列车的一切都肮脏极了。

我将手绢铺在桌板上，取出一册杂志来看。偶一抬头，见一个站在过道里的中等身材的青年还在打量我。他脸颊消瘦，11月份了穿得还那么少。一件T恤衫，外加一件摊上买的迷彩服而已。T恤衫的领子和迷彩服的领子，都已被汗渍镶上了黑边。我并没太在意他对我的打量，垂下目光接着看手中的杂志。倏忽后我抬起头来，冲那年轻的民工微微一笑。因为我第一次抬起头时，觉得他的目光并不多么地冷。我想，我对一个看我时目光并不多么的冷的人，理应作出友好的反应——尤其在这一节车厢里，尤其我以显然的另类的外形而存在于某些同类之间的时候。是的，他们当然是我的同类。或者反过来说也是一样。而且，还是我的同胞。而我对于他们，却分明地是一个另类。我所体会的中国，那是一个概念，一个与从前的中国不能同日而语的概念；他们所体会的中国，乃是另一个概念，一个与从前的中国没什么两样的概念。

我笑后，那年轻的民工，他也微微一笑。果然，他的眼的深处，非但不怎么冷，竟还有几分柔情。但是，它们太忧郁了。所以，给予我无底之井一样的印象。倘他好好洗个澡，再穿上我的一身衣服，再将他蓬乱的头发剪剪，吹吹，那么，我敢肯定他是一个帅小伙子。尽管我的一身衣服实在是一身普通得很的衣服。

他说："你坐过来吧。"

我回头看，身后无人。断定了他是在跟我说话。我犹豫。

"你还是坐过来吧！列车从新疆开入甘肃的时候，有一个人喝醉了酒，把那几排座位吐得哪哪都是……"

他始终微微地笑着，目光也始终望着我。

我早已嗅到了一股难闻的气味儿，只是不清楚发自于何处罢了。他既给了我个明白，我当然不愿继续在那儿坐下去了。我起身向他走过去时，他用手指着我说："你的手绢！"

而我说："不要了。"

我本打算像他一样站在过道里，但是他请我坐在他的座位上。他一路从新疆坐过来；他说他腿坐肿了，宁肯多站会儿。

那儿的人们都在打扑克，没谁注意我们。

他又说："我知道你是谁。我上初中的时候作文挺好的，经常受到老师的称赞。那时候我以为我将来也能……"

我小声请求说："那就当你不知道我是谁，好吗？"

他点了点头，又问："你看的什么？"

我说："《读者》。"

我看《读者》历来被不少知识分子耻笑。他们认为真正的知识分子是不应看《读者》这么"低"层次的刊物的。但我以我的眼，在中国知识分子们认为是"高"层次的刊物上，越来越看不到对另一半中国的感受了。那另一半，才是中国的大半！并且，每每因而联想到杜甫《茅屋为秋风所破歌》中的诗句——"茅飞渡江洒江郊，高者挂罥长林梢，下者飘转沉塘坳"。挂罥长林梢，虽高，不也还是茅吗？我倒宁愿沉塘坳。毕竟和泥和水在一起，可以早点儿沤烂，做大地的肥料。

年轻的民工听了我的话，点了点头。

于是我们一个坐着，一个站着，聊了起来。

他说这一车次是"民工车"，也可以说是西北农民工们乘的"专列"，票价极便宜。在高峰运载季节，有时超载百分之一百几十。因为它实际上已经等于是一次民工专列了，不是民工的人们，是不太愿意乘坐这一车次的……

他说这一节车厢有人吐过，有一股难闻的气味，所以才有几排空座。说别的车厢里，没票站着的人照例很多……

忽然一阵煤灰飘飞过来，我赶紧闭上眼睛低下头去；抬起头时，身上落了一层。年轻的民工身上也落了一层黑白混杂的煤灰，他却懒得抚一下；笑笑，说车上烧水的不是电炉，仍是大煤炉，显然又有乘务员在捅火了……

他说，他心情很不好——他本在新疆打工来着，同村的人给他传了个信儿，有一个省的煤矿急需采煤工，于是他匆匆前往。去晚了怕就没有缺额了。说一个多小时以前，他透过车厢望见了他的家园——西线铁路旁的一个小小的自然村……

他说，他的父亲几年前死于矿难；几年前死一个采煤的农民工，矿主才补偿给一万多元钱。他说他没下车回家去看一看，也是因为怕见了母亲不知该怎么说；他说家里只有母亲、妹妹和爷爷。爷爷已经老得快干不动地里的活儿了；而妹妹，患着精神病……

我，竟找不到一句适当的话可以对这个年轻的农民工说。连一句安慰他的话也找不到……

"现在，死一个矿工，真的补偿给二十万么？农民采煤工和正式的矿工，都能一律平等地补偿给二十万么？……"

我从他的话中，听出了他对平等的极强烈的要求，以及对二十万人民币的极强烈的渴望。

"这……我不是太清楚……也许……是的吧……可是现在，矿难发生的次数太频繁了，你最好还是不要去……非去……没有比当采煤工挣钱更多的活了吗？……"

我语无伦次，反问着不是人话的话。

"还用问吗？对我们，那是肯定没有的喽！"

不知何时，玩扑克的，都不玩了，都在注意听我和那年轻的农民工的谈话了。

"我记得有一份报上登过赔偿的数额……"

"一条农民采煤工的命是赔偿二十万的，这肯定没错！"

"你怎么能那么肯定？是法律条文了么？什么时候公布过了？"

"不会二十万那么高吧？现如今车祸撞死一个农民，法院一般不是才判赔偿几万吗？"

"那是车祸，和采煤不同的。目前正是国家发展需要煤的时候，所以咱们的命也就比以往值钱多了！……"

"会不会一个省一个价呢？"

年轻的农民工说，他和他们是一起的，都是要去同一个省的矿区的。有的是打工时认识的工友，有的是在这一次列车上认识的。他毫不客气地将别人拽了起来，自己坐在腾出的座位上了。接着又说："但愿我们去的地方，一条命也值二十万元……"

被他拽起来的民工说："有人倒下去，那就得有人补上去，好比冲锋陷阵，得有下定决心不怕牺牲的精神！"

那样子，那语气，很是光荣。还有点儿悲壮。

我听着，心里不禁联想到了两句诗——"风萧萧兮易水寒，壮士一去兮不复还！"

我问："你们要去的是哪个省？"

他们相互望着，交换着耐人寻味的眼色，就都不说话了。分明的，他们不愿让我知道。仿佛那是一个他们共同的福音，也是一个需要他们共同保守的大秘密。一旦被旁人所知，尤其是被我这样的旁人所知，大好的机会就会遭到破坏似的。

为了取悦于他们，我说："啊，我想起来了，有一份文件，规定了哪儿都是二十万，一律平等。"

他们都很信我的话，脸上的疑虑一扫而光，就都高兴起来。这个说有文件就好，那个说平等才对。他们一高兴，对我的态度也亲近了，请我嗑瓜子、吃花生、枣子，还向我敬烟。我没吃什么，却极想吸烟，又没有烟了，便很高兴地接过了烟。一只按着打火机的手及时向我伸过来，我刚吸了一口，劣质的烟呛得我几乎咳嗽……

后来玩扑克的人接着玩扑克，那眼神忧郁的年轻的农民工也不再开口了，呆呆地望着窗外想他的心事。没人理睬我了，我低下头仍看我的

《读者》……

列车到咸阳，小伙子一言不发起身跟随我下了车。在站台上，他才期期艾艾地问我，能不能将那一期《读者》留给他？我连说可以，就将《读者》给他了，当我快走到检票口时，忍不住回头一望，见他那单薄的身影还站在站台上，正低头看着我给他的《读者》……

半小时后，我已坐在咸阳机场高悬的巨大穹顶之下了。在机场宏伟的空间里，每一个人都显得那么的矮小。我饿了，去到自助餐厅吃饭。每客六十元，相当于我刚刚坐过的那次列车，即从乌鲁木齐到郑州的全程票价的三分之一。那是全国最便宜的长途列车的票价。大约也是这世界上最老旧最肮脏的列车。还是，这世界上唯一叫做"民工车"的列车……

我饿，但我什么也吃不下去。

我呆坐在一排落地窗前，想着我离开不久的西线铁路，它离咸阳机场的垂直距离会是多少里？三十二元的出租车费，会是多少里呢？

我对我们的中国被撕裂的现状，获得了又一次深刻而鲜明的经验。

我觉得我自己仿佛也在被缓缓撕裂着——从产生情怀的地方，到进行思想的地方。

进而想到我这一个曾一次次被如此这般地撕裂过的，浑身散发着腐酸气味的当代文人，居然还厚颜无耻大言不惭地在一个又一个文明的场所遑论自己有着什么完整的文学理念，便对自己心生出大的鄙视和嫌恶来。

我欲哭无泪。

为着自己终于正视到了自己对于被撕裂的中国其实如同毫无用处的活垃圾的真相，也为了别的……

那年的北影制片厂

　　1978年元旦上午，我是在北京电影制片厂老编剧颜一烟家中度过的。那一年她六十岁，我二十八岁。我是"兵团战士"时，在佳木斯兵团总司令部的招待所已与她接触过。我被总司令部宣传处的崔长勇干事（即我的小说《又是中秋》中的"老隋"）抽调到佳木斯修改一篇稿子；而颜一烟是为了编创北大荒军垦题材的电影剧本才住在总司令部招待所的。那一年我还没成为复旦大学的"工农兵学员"，自然，"四人帮"也还没被逮捕……

　　我于1974年成为复旦大学中文系的学生；"四人帮"1976年10月被"粉碎"；我于1977年9月毕业，统分到文化部，具体单位再由文化部决定。毕业生照例有半个月的探亲假，我在毕业前卖掉了手表，还清了借同学们的钱已所剩无几，又不愿写信让家里寄钱给我，所以就没回我的家乡哈尔滨，直接到北京报到来了。当时文化部还没组成"大学生分配工作办公室"，我只得在一名同连队的北京知青家里暂住了几日。再去文化部询问时，终于见到了一位即将接手分配工作的女同志。她说她已经知道我几天前就到文化部来过了；说我是第一名报到的大学生；说已经看过了我的档案；说有北京电影制片厂、实验话剧院、东方歌舞团、外文出版局等几个单位任我选择。还说根据我的档案情况，我也可以选择留在部里，先协助做些"清查"工作……

"四人帮"在"文革"时期大搞"清理阶级队伍"，被他们所重用的人丧尽天良，做尽坏事，反而个个以最革命的"革命派"自居；"十年河东，十年河西"，魁首们成为阶下囚，当年最革命的"革命派"们，必须交代清楚他们所干的那些坏事，必须有忏悔表现，争取宽恕。某些人的坏事是在背后干的，如通过写秘密信件的方式从政治上罗织罪名、陷害他人；或充当"四人帮"及其爪牙们的耳目，专门收集文艺界人士的言论，为"四人帮"及其爪牙们整人提供根据。这些人虚伪且阴险歹毒，他们为了邀功，每先抛出一些对"四人帮"不满的话语，诱发别人的同感。善良的人们，往往容易上他们的圈套。而一旦话从口出，必定祸事临头，结果悔之晚矣。其实，他们简直就可以说是一些特务。既然是特务，便不那么情愿自我坦白的，于是需要"清查"……

我想我被认为可以选择留在部里，与复旦大学给我作的毕业鉴定不无关系。其中一条鉴定语是和"四人帮"做过思想斗争。

事实上我又怎么可能和"四人帮"做过什么思想斗争呢？

只不过，我对"文革"年代，经常表达出几乎不计后果的厌恶而已。若不是老师们竭力加以保护，我的大学生活早已"夭折"……

但我不想留在文化部。我心在创作，从小又是那么地爱看电影，于是选择了北京电影制片厂……

也正是因为那一条鉴定语，北京电影制片厂文学部的领导们，竟一致对我这样一名"工农兵学员"表达了欢迎的态度。在当年，对"工农兵学员"的专业能力以及政治前身，各界人士是存在着很多疑点的……

从我1977年9月中旬入厂直到1978年元旦，北影的主要工作是继续"清查"以及"落实政策"、创造中国"新时期电影"的复苏条件……

颜一烟老师住在北京师范大学校园内，她是延安"鲁艺"的第一批学员，是中华人民共和国第一届"文联"大会代表；是电影《矿灯》的编剧；是当年的"文艺四级"，据说那是很高的文艺级别。因为几年前就在兵团总司令部的招待所里相互熟悉了；因为她的女儿也曾是"兵团战士"；因为她和崔干事关系极好，而崔干事视我如亲弟弟一般；因为北影厂的领导们说过"小梁是咱们自己人"——这样的说法在当年意味着政治思想立场上的莫大信任，故"老太太"（崔干事语）对我很是友善。她家当年只住两小间"筒子楼"的屋子，在楼道做饭，每间屋子十一二平方米。她住一间，她女儿住一间。她女儿1978年已返京，但还没分配到正式工作。头一天，即1977年最后一天的晚上，她的女儿打电话跟我说——让我元旦上午到她家去玩。那时，我还没分到宿舍，临时住在招待所——某房间某一张床属于我……

颜一烟老师那一间屋子的墙上，相框里镶着两张长幅合影——一张是她和"鲁艺"一期学员的毕业合影；一张是她和第一届"文联"代表们的合影。她取下相框，戴上花镜，一一指着照片上的人告诉我他们是谁。皆为大名鼎鼎的文艺界人士，也皆风华正茂，然有些人已在十年浩劫中被迫害死了。我十分惊讶于经历了"文革"，她居然还能保存下来那两张合影？她说"文革"刚一开始，她就将合影藏起来了……

北京电影制片厂是"文革"重灾单位，1978年上半年，"清查"工作和"平反"工作依然繁重。回忆起来，似乎每星期都有全厂大会。揭发会、控诉会、批判会；也有各部门的小型会，思想帮助会、"过关会"、情况和精神传达会等等。对每一件事每一个人重新做出政治结论，乃是需要反复核实的。北影厂的招待所里逐渐住满了人——有工作组的，有外调的，有上诉"平反"的。不但在"文革"中遭到伤害北京户口被注销的人从外地回来了，1957年被打成所谓

"右派"的人也回来了。原属北影厂的住进了北影招待所，而文化部的两处招待所人满为患，不是北影的人士也托关系住进了北影招待所。给我留下深刻印象的是一位年近六十岁的老舞蹈家，每日清晨或中午，在北影招待所小小的前厅那儿练功。兴之所至，跳俄罗斯"马刀舞"、西班牙"斗牛士舞"，矫健如青年。后来，他曾任中国舞蹈协会副主席……

我虽经历了"文革"，虽在"文革"时期从哈尔滨到了北大荒，又从北大荒到了上海，自以为对"文革"十年是颇有发言权的，但对文艺界人士遭迫害之事，其实是所知甚少的。在北影，在1978年，我补上了一堂重要的政治课。那一年，在座无虚席的北影礼堂，唏嘘之泣每不绝于耳，而我也每听得热泪盈眶，心潮难平……

想来，如果江青非是领袖的夫人，或本身并不曾是文艺界人士，也许中国的文艺界所受到的危害会小些吧？

1978年，每一位著名的或较为著名的人物得以平反或昭雪，无论他们是政界的、军界的、教育界的还是文艺界的，无论我以前就对他们知道一些还是直至他们被平反或昭雪才有所了解——我内心都会很激动。因为，又有一个人的冤情得以昭雪，意味着社会又多了一份良心。

1978年，我和许许多多的人都盼着邓小平替代华国锋重新主持中央工作。我至今不认为华国锋是一个可憎的人，但在毛主席死后，他还要坚持"两个凡是"却是令人感到异常费解的。

1978年，正是从1978年，我开始形成一种思想——中国再也不能没有民主了。

因为没有民主，政治家是很容易被宠坏的。

因为被宠坏的政治家，谁想使他不渐渐专制起来都是不可能的。

而等一个政治家渐渐专制起来并且终于成了专制偶像的时候人

们再意识到民主的重要性，那么一个国家将付出极其惨重的代价。好比独生子女终于被宠坏了，他连父母都不当父母看了，还能指望他（她）什么呢？……

中国中产阶级，注定艰难

历史上，资产阶级靠经济冒险完成了阶层雏形，中产阶级靠文化知识的提升形成本阶层的特征。不论主旋律文化或商业文化，少有人文元素。关怀、同情、平等、敬畏，这些普适的中产阶级价值观在今天的中国远非主流。民主、自由、平等、博爱以及对于社会进步的责任感——中国中产阶级要学会担当的太多了。而脆弱和焦虑的大环境将注定其成长的艰难，乃至悲剧性。

城市平民脆弱：中产如何产生？

构建和谐社会，最终不在于是否形成中产阶级社会。从理论上说，中产阶级社会如果形成，整个社会的贫富结构就变成了枣核型，这也意味着较富裕的人多起来，自然构成了稳定因素。中产阶级社会形成的过程，就是较富裕的人群从少数变成多数的过程，壮大中产阶级只是其中一个途径而已。如果我们在财富分配政策方面失之于兼顾，失之于体恤，失之于相对公平，恐怕国家还没等到枣核型结构时，社会矛盾就已经尖锐万分了。

一则报道说，中国的城市初步形成了中产阶级化，以我的眼睛看，事实并非如此。我们有七亿多城市人口，要达到枣核型的社会结构，中产阶级怎么也得达到60%以上。我们的中产阶级够四亿人么？我很怀疑。我写《中国社会各阶层分析》谈到的中产阶级，是指从城市平民阶层中上升出来的一个阶层。社会朝前发展，平民共享改革成果的成分越来越大，在此基础，才可能上升出足够的中产阶级。当年我就提过，中国的城市平民阶层正处于一个相当脆弱的边缘，甚至完全有可能随时跌入贫民阶层。

平民的生活，如果在稳步地，哪怕是小幅度，但同时又必然是分批地提升着的时候，社会的中产阶层才能开始成长，这是正常的发育。而我们的平民基础却是越来越脆弱。改革开放这么多年，有的工人的退休金还只有五六百元、六七百元。所以你不应该急于谈如何壮大中产阶层，你首先要把城市平民这个阶层的状态分析清楚，他们在享受改革开放成果方面，几乎可以说是微不足道的。他们的退休金普遍很低，和物价的上涨不能成正比。他们有一点存款，但用那点存款给儿女买房子的话，交首付都不够。即使交了首付，能够可持续还贷的能力也是较差的。何况他们的医疗保障都非常有限，家庭中如果有人罹患重大疾病，一次抢救就要花很多钱，于是倾家荡产。一旦有这样一个病人，原来是城市平民的这些家庭可能就会迅速滑入城市贫民阶层。社会保障没有做好，平民阶层中每一个人都有下滑的危机感，即使幸运升为中产阶级的少数人，也根本无法拥有中产阶级本应有的稳定心态。

再譬如说，出身平民的高校大学生，毕业后能找到律师、医生这样的体面工作，在大城市工作上三五年，就仿佛可能纷纷加入中产阶级了。实际上，普遍而言，大学生起薪工资的相对消费能力较十几年前比不是上升，而是降低了。一般的工作，月工资收入二千五百元，要是租房子，单位给你补贴吗？没有，租房在北京最便宜也要拿出一千元吧？

要吃饭怎么也要花七八百元吧，再加上零花，那就所剩无几了，如果这时你想反哺于父母的话，会很难。在这个状态下，你变成中产阶层的可能性非常微小，而且社会也没有给你提供一种感觉到上升的希望，你这一生的状态就不可能是中产阶级的状态，活得很累、很焦虑。真实的中产阶级在哪儿呢？

中国的中产阶级，不足百分之几

中国最初的资产者是上世纪80年代那些骑着摩托背着秤的冒险者、创业者。后来是有学历的，再后来是一些从做买办开始的，替外国人、投资方盖房子，做生意。他们说起话来非常奇怪，一个中国人，当他加入外国国籍回国来替外国人挣钱以后，他会说"你们中国"。而中国的中产阶层，主要是从城市平民中产生的，比如律师、医生，在政府机关，当个处长就是中产阶级了，权力本身带给他一系列福利，这跟西方是不一样的。因此，当你说中国中产阶层的时候，不管它多或者少，不管它是枣核型还是葫芦型，作为一个阶层，它存在着。当你来分析这个阶层的成分的时候，你会看到演艺界有相当一批属于中产阶级，甚至接近于资产阶层，政府官员会有一大批属于中产阶级，包括前辈官员的儿女们，哪怕他们的父母不是很大的官。还有些平民子弟，名牌大学毕业生，通过个人奋斗，衣衫褴褛地闯了出来，但还没闯进资产者的群体。以上，全加在一起，我认为不足百分之几。

普适的中产阶级价值观，我们没有

仅有的这些所谓中产阶级，他们之间的价值观念也很不同，这和西方中产阶级同质化的价值观相比差得甚远。在中国，同样是中产，一个是从平民家庭里通过刻苦读书成为优秀分子的人，一个是官员子弟，通过不合理的制度及种种优势过上中产阶级生活的人，价值观能一样么？以一个平民子弟的眼光来看，他认为要反腐败，打破特权，加强底层的福利，可是，另一方可能对他的观点非常不屑。同属一个阶层，但共识的稳定价值观并不存在。

我们的大学生群体应该是未来中产阶级最有可能产生的土壤吧？但目前，这些准中产阶级们的价值观如何？恐怕，它可能很不像中产阶级价值观，而更像资产阶级价值观。它和人文的关系不再那么紧密，身上沾染了一种特别的亲和——与资本的亲和。最优秀的平民阶层里产生出来的大学生，当他感到要成为中产阶级非常困难的时候，他可能希望尽快地成为资产阶级。司汤达的《红与黑》里的于连情结，可能在当下的青年身上会体现得多一些，但绝对不能据此就责备我们的青年。大学生是最容易培养成中产阶层的未来力量，可大学教育却早就变了味。当我们考虑未来几十年中国的问题的时候，政治家头脑中考虑的是政治上会不会出问题，政府部门考虑的是经济上会不会出问题。我个人觉得，更应该考虑文化价值观会不会出问题。最近的国学热、孔子学院热，这些都不能解决以上问题，这只是对普通老百姓的要求，它希望你们老百姓多知道一点，应该和怎样做好老百姓，并拿出怎么样安贫乐道的东西，来哄劝底层。

关怀、同情、平等、敬畏，这些普适的中产阶级价值观在哪里？我们没有。我们有主旋律文化，有红色革命题材，背后是政府的强力支持。我们有商业文化，那里有强势资本的运行规律在发挥作用。但是社会的人文力量在哪里？我们看不到。

西方中产阶级：人文力量推动进步

中产阶级的概念是从西方引进的。在西方，资产阶级先于中产阶级产生。资产阶级是一些什么样的人呢？是一些能人，是一些敢于冒经济风险的人，是一些对商机有敏锐反应的人，甚至还可能是一些唯利是图的人，只认金钱原则，不认其他原则的一些人。资产阶级产生之后，客观上带动了经济发展，从而使城市平民相对受惠。哪怕城市平民觉得受了剥削，但是比之于从前，实际生活水平还是渐渐提高了。然后，从这些受资产阶级之惠的城市平民里，才逐渐派生出中产阶级。

资产阶级靠经济冒险的方式完成了阶层雏形。但是，中产阶级是靠文化知识的提升。最初，中产阶级的成分是城市平民中的卓越分子和优秀子弟，这些人有着不同于平民阶层和资产阶级的思想。他们对民主非常在意。由于在意民主，就在意社会公正，主要是分配的公正。刚开始，中产阶级可能还是只为本阶层着想，但若当他们更深远地思考后，他们的思想就会兼顾到底层。西方的民主历程不是由资产阶级来推动的，民主意识很强的中产阶级才是主力军。资产阶级要保持稳定的是有利于他们的框架。平民除了暴力，没有任何可能性去推动变革。只有平民中派生出来的优秀知识层——中产阶级，才有这个能力理性地通过思想表达民主、公正、自由的要求，表达普适的同情心、责任感。社会进步了，中产阶级的价值才会实现。社会进步已经不能依赖资产阶级了，资产阶级考虑的只是他们自己的利益，他们不管社会是否进步，他们只管自己阶层拥有资产的量化问题；中产阶级主张体恤下层，除了以身作则，还要求政府、国家和资产阶级同时体恤下层，他们对于人性道德的主张是比较由衷的。因此，整个西方社会的进步，实际上由两种力量推动。一种是资本运行本身的力量。一种就是人文的力量。

人文的力量，它不可能来自草根阶层，草根无法凝聚成一种力量。思想、读书，这更符合中产阶级的状态，资产阶级早期的时候是不太读书的，因此在西方的文学作品里面，常常有那种老贵族会对一个暴发起来的资产阶级说，"瞧这个指甲黑糊糊的家伙"。没错，就是他，曾经指甲黑糊糊的家伙，现在变得腰缠万贯。创业的这一代资本家，何尝有精力、有心思、有情绪去读书，去关注历史，去思考呢？而这些却是中产阶层最接近的。中产阶层的优秀子弟，他的前人没有给他留下过多的资产，他们不可能像资产阶层那样去轻易冒险，进入大学后，他们乐于接受人文价值的洗礼，喜欢沉浸在公正平等的理想中。

中国的中产阶级能为底层代言么，难！

中国目前的现实问题是，底层面对严重的贫富差距产生了强烈的愤懑，很容易把情绪发泄向中产阶层。底层和资产者阶层的距离太远，他们想象不到富人的生活，对于他们来说，那是另一个国度里的事情，他们只能从网上偶尔知晓他们结婚花费了多少多少，股票又怎么怎么了。他们与新兴的中产阶层距离更近，对中产阶级的言行更为敏感，比如收一个红包，可能几千元，他们一下子就能看到。正如哲学家所说，使我们郁闷、恼火和不高兴的事情往往是我们的左邻右舍。

中产阶级是要同情弱势的，尽管离底层最近，但是已经不能成为他们中的一员了，顶多是底层的代言人，但时常也做不到，这是一种夹缝中的状态。中国的中产阶级将通过什么来证明自己的正当性或价值呢？中产阶级在西方，是通过做了什么，真的担当了什么，有所牺牲，最后还要有所成果，当这个成果真的被底层分享到了，底层才会认可他们。这是一个很沉重的悲剧过程。民主、自由、平等、博爱以及对于社会进步的责任感，中产阶级要学会担当的太多了。这也是我们社会最应该首先去考虑的。我从不指望中国今天的中产阶级能像西方当年的中产阶级那样作为，在中国，悲观地说，这几乎是不可能的。

然而我深信，几十年后，中国之中产阶级会渐渐醒悟——对底层的同情与代言，乃是本阶层最光荣也最值得欣慰的阶层本色。而底层也终将相信，除了中产阶层，他们没有更值得信赖的阶层良友。底层和中产阶层，实在是唇亡齿寒的关系。这一点对于双方，都是一个社会真相。而即使社会真相，有时也需要几十年来证明之。

副刊的面孔

中国已经有多少报了，不得而知。相信十之八九有副刊，或辟一个版面，或周末加页。

中国的报又是有"中国特色"的，副刊既自行地打出"副"字招牌，意味着是公开的声明——区别于"正"版，甚而有点儿与"正"保持礼貌距离的觉悟姿态。

所谓"正版"当然有可能成头版了。除非特别的，代表官方消息的报道，副刊内容上不了头版。岂止上不了头版，也是很难插足于二版三版……所以，副刊的"身份"一向是末版。不论一份报有几页，它几乎只能在末版。或自成一个单元，以增刊的"身份"面世。这"增"字，亦有"赠"的意思，似乎白给。

我曾问过几位国外的朋友——他们国家的报，有没有"副刊"一说。

回答没有。据言在他们的国家里，什么内容上头版，仅取决于报人观念中的新闻价值。比如英王室若爆出绯闻甚或丑闻，日本皇太妃是否怀孕，往往也是头版头条新闻。

这在我们中国人看来很不可理解，定会认为媒体发昏。

各国有各国的国情，以及媒体受众习惯了或还不习惯的认同心理。

"别人家"的事儿我们不必妄评。

但外国朋友们又告诉，他们国家华人办的华报，也有副刊这一"媒体"亚种。进言之，认为中国文字表意性丰富，中国人运用中国文字的技巧性也很高，是值得他们虚心学习的。

而在我的记忆里，"文革"前国内某些报便有副刊；据前辈人讲和书中记载，三四十年代某些报便有，可能还要早些。事实乃是，一些姓名彪炳史册的文学大家、思想家、学者教授，都曾在副刊上发表过美文、见解、小说、散文和诗。

"文革"前国内某些报的副刊，又叫"文学副刊"。倘一份报从头版到末版内容皆严肃，读报人读下来，心里就难免会感到累，所以需要文学性的文字缓解。读报人的心理不能承受没有"文学副刊"之重。以文学性文字体恤读报人，是人类社会有了报不久便无师自通的办报经验。翻翻西方文学史亦会发现，不少大师们的名作曾在报上发表过。

文学曾是中外许多报的味素。

即使中国，即使在"文革"中，办报的这一条经验也没中止过。我是"知青"时，曾在《兵团战士报》的"文学副刊"上发表过小说习作，曾在《黑河日报》上发过散文。否则我无幸踏入复旦大学的校门。当年和其他知青中的文学习作者共同有过的一个野心，便是渴望在《黑龙江日报》的"文学副刊"上发表点什么，哪怕是一首小诗。这野心当年落空。

"文革"结束，各报副刊基本上还叫"文学副刊"，不这么叫的，其实也在以文学性的文字撑住副刊的版面。《伤痕》、《哥德巴赫猜想》等当年人人口传的作品，便首发在报的副刊上。许多久违了的老作家的名字，纷纷与他们的作品同时在报的副刊上亮相。记得张洁曾在当年《中国青年报》的副刊上发表过小说《看谁生活得更美好》。我也曾发表《鹿哨》和《看自行车的年轻人》。还曾在《北京日报》上发表过两篇仅二千余字的"小小说"。

几年后，中国电影复苏了，戏剧复苏了，出版业复苏了；又过了几年，电视机进入了家庭，电视节目渐渐繁荣了，电视剧产生了；于是，相应的评论活跃了——文学开始识趣地向文学期刊和出版业转移，副刊的内容也不再是"文学"二字所能标志的。

许多报的副刊，悄悄地更改了一个字，不叫"文学副刊"，而兼容广泛地叫"文艺副刊"了……

现在，许多报的副刊，进而又更改了一个字，叫"文化副刊"或"文化版"了。

因为"文艺"的种类"爆炸"了，"文艺"的现象无法用"文艺"二字概括了。比如时装表演，比如辩论大赛，比如中国人从前闻所未闻的行为艺术，比如电视中的某些话题节目，比如文字形式的时尚讨论等等。

我们不但处在一个"文艺"种类"爆炸"的时代，而且处在一个文化新现象层出不穷的时代——许多报的副刊张开双臂，企图将一切与政治、与经济、与体制和民主进程、与教育和科技发展，总之一句话，凡是与主流意识形态不发生抵牾的内容，全都环抱在"文化副刊"的怀里。

因而报的副刊空前热闹起来了，有时相当热闹，特别热闹。

除了一些行业报不能不按宗旨体现行业的内容特点，除了副刊，中国各报其他版面的面孔，其实差别极小。

倘有非文化范围的大事件发生，无论是国内的还是国外的，各报争先恐后，直至将那大事件尾声里的最后一点点新闻"油水"嚼尽再"吐"到报上为止。此时受众很像将嘴张得大大的小鸟，专等鸟妈妈的新闻哺喂……这样的日子里，副刊其实怪尴尬的。因为报道那些大事件的优先权，甚或"新闻特权"，基本上不关照给副刊。想抢都挨不上边儿。使出浑身解数挤将上去，也只不过能拾人牙慧。在这样的日子里，副刊是相当寂寞的，形貌黯淡。

　　但中国和世界并不每天都发生大事件。总的来说，平安无事是人类社会的常态。在常态的日子里，特别在中国，副刊便本能地活跃。内容仅仅涉及文化，所"享受"的话语自由、理念自由、思想自由相对宽松，几乎人人都可在此自由度中表现自己，表演自己。只要谁热衷于那样，乐于那样，那样而不厌烦。中国不乏热衷于那样的人，也有许多厌烦那样的人。热衷于那样的人，副刊鼓掌欢迎；厌烦那样的人，副刊强拉入"瓮"。有时副刊也使小小计谋，推热衷于那样的人和厌烦那样的人双方遭遇在副刊上。若击出电光火花，那么正中副刊下怀。引发一场势不可免或无谓笔战，硝烟弥漫，就更好。寂寞的受众正期待着这个——尽管这一点并不一定是事实，副刊却往往一厢情愿地如此认为。煞费苦心，为了订数……

　　80年代初，贵州有位优秀作家叫何士光，他曾写过一篇出色的短篇小说《乡场上》。那是迄今为止，获全国优秀短篇奖的小说中最短的一篇。贵州有叫"乡场"的地方。山西、陕西似乎也有类似地方。"乡场"不过就是一块平地。乡人们傍晚在那儿聊天，交流"信息"，以及对大事小事的看法。这是男女老少都可以聚的地方。"言论自由"的地方。端着饭碗，赤着上身，趿着鞋去也不打紧。乡人不议国政。在这方面他们教训深刻，心有余悸。谨慎而又多疑。他们只言家长里短，人际是非，间以插科打诨，流言蜚语。故"乡场"上，是不必贴"勿谈国事"的。"乡场"上的自由，接近着彻底的"言论自由"。"乡场"上的"言论自由"，其实又起着宣泄场所的作用。如同英国的"海德公园"。它虽不有利于团结,却分明地有利于安定。

副刊有点像报的"乡场"。

对于中国,就目前而论,积极作用远大于负面影响。

副刊由文学的而文艺的而文化的,"领地"一拓再拓,于发展着的前景中,是否也丢失了或曰流失了什么呢?

一、某些报的某些副刊,渐渐流失了文化的气质。

文化副刊,当然总要多少有些文化气质。受众览阅副刊,正是冲着"文化"二字的。近年情况有变,副刊每将"文化"这个"界"中鸡零狗碎之事,居心叵测地当成"文化"兜售给受众。而某些受众在此过程中,亦难免养成偏瘾,且将"山嘟噜"(一种水果的俗称)当葡萄,接受方面反而离文化越远,被误导向文化的垃圾。文化自然也是有排出物的。文化的排出物有时比文化本身有卖点。故某些副刊包装文化排出物后全力兜售的热忱,高过于营造副刊本身文化气质的热忱。

我在某大学与学生对话时,有条子递于我手,上面写着:"讲点儿有意思的!听着来劲儿的!我们不知道的!"

我读了那条子后问:"那是些什么事儿呢?"

一学生台下高叫:"就是你们文坛的那些事呀!"

我说:"大家爱好的是文学,对不?文学之事和文坛之事,往往不能同日而语。特别感兴趣于文坛之事,与特别感兴趣于文学之事,往往也是两类不同的青年啊!"

外国小说和外国电影中,每有这样的话——"那个专读小报末版的家伙!"

文化副刊的内容,倘与外国的"报纸末版"的内容相似,前途也就可悲了。

归根到底,文化副刊有没有点儿文化气质,和文化副刊的报人是有种种关系的。

二、某些报的某些副刊，文化品格扭曲。

捧同党、同类、亲爱者、铁哥们儿，不吝香水，左喷右喷；倘与人有无名私怨，则在自己把持的版面，大泼墨汁，诽谤诬蔑，肆意攻击，并堂而皇之地打出"批评"的旗号。更有甚者，自己化了名，亲笔"讨伐"，隐身版后，并在自己把持的版上大造声势，意在灭绝似的，显出恨恨的咬牙切齿的样子，计逞志得偷着乐。若遭指斥，则以"批评"为盾，此辈我将在日后点出几个，让人认清他们是些怎样的心理阴暗的人。

我在某大学与学生们对话时，还发生过这样的事——一个条子递到手中，其上写着辱骂话语。我也将那条子念了，台下一片肃静。接着有学生站起，眼泪汪汪地说："那个坐在阴暗角落的家伙绝不能代表我们，我们的心理不是这样的！那家伙也侮辱了我们！……"我当然从字迹，从那半页稿纸看出，非是学生身份的人。此辈若有朝一日把持了版面，会怎么干可想而知。

这样的一件事，有人的心为那学生所动；有人因那些辱骂的话语而亢奋不已；有人似乎目光最"锐"，看出了台上那小子的镇定自若是"作秀"……在"新闻自由"下，体现于副刊上的内容将多么不同……

副刊的眼其实就是副刊报人的眼。

利用自己把持的版面攻击他人和以权谋私是同样可耻可鄙的勾当。此辈不多，但能量颇大。而且，往往善于呼朋引类，同仇敌忾，党同伐异，哥们儿姐们儿齐上阵……

三四两点不妨一齐动问。

三、文化副刊还要不要有点儿文化的庄重性？

四、文化副刊还要不要体现点儿传播和载负文化的美感特征？

文化的广告非文化本身。文化的评论也只不过是为文化作的艺术赏析。看电影得去影院；看剧得去剧场；读书得买书借书；听现场音乐得留意于音乐会的消息……这都是自不待言的。

文化副刊除了广告和消息，除了来劲地喷香水儿和发狠地泼墨汁，除了讨论和批评，自身是否还有别的作为余地？

帕格尼尼死了，海涅也死了，我们今人再也不能领略帕格尼尼这位从前的琴魔型大师的演奏了。但海涅当年领略了，而且为我们留下了他的散文名篇《帕格尼尼》。

海涅相当客观地记录下了他坐在观众席间的感受。他写出了帕格尼尼高超的演奏怎样紧紧抓住了听众的灵魂；也写出了帕格尼尼出场、退场、谢幕时的矫揉造作。

这里要指出的不仅是海涅的客观。说到底他的客观依然是他的主观。

而是要强调他那篇散文本身的美感。

据我所知，它也是首发在报上的。虽然未必是什么"副刊"。

海涅和帕格尼尼都活着的时代，关于帕格尼尼的报道不计其数。如今留下的，仅仅是海涅的一篇。恐怕不完全由于海涅的知名度，也还确实由于他那篇散文不失为写真一位艺术家的美文吧？

谁能使没去音乐厅听某一场高水平音乐会的人，从文化副刊上间接地获得一点点欣赏？谁曾用优美的文字记录一场优美的舞蹈演出？

文化种种，间接体现在文化副刊上要靠文字。

究竟是什么原因，使文化副刊的文字渐失文化版的庄重和美感，而越来越倾向于文字噱头，文字的油嘴滑舌，文字的轻佻挑逗？……

为什么不少善待文化的人却对着某些文化副刊背转身去？

为什么行文粗鄙甚至为人不端的人，反而得以在某些文化副刊——

这高品格的领地上大显身手？

制造卖点是长久之计还是饮鸩止渴？

根据什么判定受众并不渴望文化副刊的庄重和美感？

文化副刊在这方面真的竭诚地为受众做出过努力吗？

每年推出几版试一试如何？

倘文化副刊一年中有数篇文字获得受众的喜爱，无论那是小说、散文、诗，或评论、综述、报道、采访——岂不意味着副刊美好的收获吗？

据我推测，受众对某些副刊已然滋生心间的逆反，最长再忍耐二三年……

城市化进程化什么?

中国之发展，看目前，忧虑在城市，机遇在城市，挑战亦在城市。看未来，忧虑在农村，机遇在农村，挑战亦在农村——我想，这便是促进农村城市化进程这一国家发展思路形成的初衷吧?

中国不但是世界上人口最多的国家，也是世界上农业人口最多的国家，而且是世界上农业人口比例最大的国家之一。五亿多城市人口和七亿多农村人口结构为人口中国的概念。这意味着，几乎可以说中国是由两个"国家"合并而成的一个人口超级大国——一个正在现代化轨道上高速发展的城市中国；一个还不能完全达到机械化生产水平，小农生产方式比比皆是的农村中国。

这使中国的发展变化呈现撕裂状态。

城市化进程正是要弥合撕裂状态。否则，相比于农村人口仅占百分之几的欧美发达国家，中国不可能真正成为世界强国。

世界的发展也是一个农业的世界向城市的世界发展的过程。这一点究竟对于人类福兮祸兮，至今莫衷一是。有一点却已被事实证明了——哪一个国家的人口最大程度地城市化了，哪一个国家的综合强国指标更高一些。只能这么认为"祸兮福所倚，福兮祸所伏"。

而要使七亿多农村人口变为城市人口，"五年计划"这种计划是不适应的。"五十年计划"还较为现实。即使化七亿多农村人口的一半，那也需要在中国又涌现出六百几十个50万人口的城市。而50万人口的城市，在欧美发达国家是中等城市——那将靠多少个"五十年计划"才能实现呢？

故依我看来，"促进农村城市化进程"，首先是促进中国之乡镇的县城化；以及促进中国之县城的规模化。中国之乡镇的数量可用多如牛毛来形容；中国之县城也是世界上最多的。事实上乡镇和县城都在本能地扩大范围，迅增人口。它们是二三亿进入到大城市打工的当代农村青壮人口改变命运，成为城市人口的更实际的选择。

"农村城市化"只不过是一种姑妄言之的说法。农村没有必要城市化，但却一定要使一部分又一部分的农村人口"化"为城市人口。这是一个要由几代人来"化"的过程，大多数当今一代农村人口，只能先"化"为镇县人口。"化"得成功，亦属幸运。

这种"化"，首先要体现在两种人的思想方面——政府官员与向往成为城市人的青壮农民。

第一种人们，不要认为自己的使命仅仅是建设好省城；要替本省长远思考、规划，意识到将来省与省之间比的，肯定不仅仅是省城如何，而是县城面貌怎样？小镇风格怎样？对于本省甚至外省的农民，具有多大落户吸引力？

第二种人们，也就是当下候鸟般的青壮农民，他们也有必要明了——与其自甘作为大城市的弱等市民生存在它的褶皱里，莫如带着在大都市辛辛苦苦挣的钱，赶快相中一个发展前景良好的小镇或县城，趁早置下一处房产，以为打工人生未雨绸缪，妥备退路。别看某些小镇现在小，三十年后也许就是一座美丽县城了；别看某些县城现在不起眼，三十年后也许就出落得令人刮目而视了。

当然，以上是往好了说。这种发展造成什么样的局面状况，例如耕地的滥占、环境的污染、建设的任意性、粗劣性、急功近利性——凡此种种，也是要在思想上"化"在前边的。

三平方米的金融海啸

这雨，可说是场大雨了，小街上，便不见人影。然而，还是有人的，都躲到人行道两侧避雨的地方去了。所谓避雨的地方，自然是那些没有门窗，竟也叫门面的菜摊或水果摊的屋顶下……

在北京的三环和四环之间，这条小街真是够脏够乱的。路宽不足十米，两侧一辆挨一辆停满了各种卧车、菜农或果农开来的大卡车、小卡车、厢式小货车，以及小贩们的三轮平板车。马车也是常见的。今天是星期日，有三辆马车在机动车辆之间——一辆载满蔬菜，一辆载满瓜果，还有一辆载的是成袋的大米；幸而已及时罩上了雨布。那情形看去颇为荒诞，仿佛这条街上有处加油站；仿佛这是一个汽油短缺的月份，一概车辆皆在排队加油；马车也不例外……

阿伟坐的地方，是雨淋不着的。不但雨淋不着他，夏季的炎日也晒不着他。而且，只要他想坐在那儿，是可以从早到晚一直坐在那儿的。那儿是一个小区的门旁，有台阶。台阶半圆形，为了美观，向两边延伸出几米，看去像有帽翅的古代的官帽。阿伟呢，就坐在左边的"帽翅"上，臀下垫块纸板。那是他合法的蹲坐之处。右边的"帽翅"，连着一家美发店的台阶。如果他坐到右边去，就不合法了，美发店的老板是有理由也有权力驱赶他离开的。当然，他若真坐到右边去，美发店的老板那也断不至于撵他。他们已很熟。并且，广义言之，阿伟也是老板。

阿伟姓赵，原名赵韦，河南农民；已婚，并有一子。他的家族成员，皆农民。他们祖祖辈辈是农民，已经十几代之久了。到他这一代，按名谱排下来，都逢上了"韦"字。韦字是没什么讲头的字，几位盼着家庭兴旺的长者一商量，就将他这一代人的韦字，加上了单立人。于是他的名，就也从"赵韦"，改成"赵伟"了。伟字自然是很有讲头了，但阿伟的人生，还没沾到伟字的什么大光。

阿伟在这条街上收废品。面前，有三平方米的合法地盘，用绿色的，两尺高的硬塑板围着。硬塑板上，白字印着北京某环保部门的名称。除此之外，他还有执照。

为这一种合法性，阿伟每年须向有关部门交六千多元管理费，平均每月五百多元。

在那"官帽"的"帽翅"上，阿伟已经坐到第四年了。多垫两块纸板，他便也能够躺下。但腿是伸不开的。"帽翅"没那么长。若他躺下去，只有屈起双膝来。阿伟不常躺下，他对自己的职业形象还是挺在乎的。铁门内，有几幢二十余层的高楼。楼里人家都将废品卖给阿伟。阿伟自然也是有手机的，许多楼里人家知道他的手机号码。倘那些人家积攒的废品多了，一打他的手机，阿伟转眼便会拎着麻袋和秤出现在那些人家的门口。阿伟和小区里的人们关系处得不错……

前三年，阿伟的业务充满光明。起码，他自己是心满意足的。想想吧，一个年轻农民，在北京这一条很脏很乱的小街上，一旦取得了三平方米那么一小块合法坐守的地方，刨去应缴的管理费，一年竟能有两万多元的收入，还不应该谢天谢地么？所以他总是对北京心怀着几分虔诚的感激。并且总是这么想——如果全中国的大小城市都能有北京这么多照顾穷人的挣钱机会，那么中国的农民就几乎算是熬到了共产主义啦！

一个中国农民，不论是哪个省的，即使一年到头辛辛苦苦地侍弄十几亩地，也未必就能有两万多的回报啊！而他，几乎就是坐守罢了。这钱怎么说也算挣得容易啊！第二年他的妻子带着儿子也来到北京了，他以每月三百元的便宜价格租下了一间地下室，就在背后的小区里……

那时两口子对于生活都开始心生出有点儿伟大的憧憬来——他们盘算过攒下多少钱便足以推倒农村的旧屋盖新房了，也盘算过又攒下多少钱就可以在小街上租下一间门面，经营一种什么小生意了。那有点儿伟大的憧憬需要用两个五年计划来实现。两个五年计划不才十年么？他们都年轻着，有那份耐心。

不料好景不长，今年以来，业务每况愈下。

都是金融海啸给搞的。

他每日所收的废报和过期刊物的封面上，几乎随时都能扫视到"金融海啸"四个字。那四个字每每作为黑体标题，有时大得离谱，然而他只当那是和自己毫无关系的事。似乎，也和每日出现在这条小街上的人们没什么关系。一切摊位上的蔬菜瓜果并没明显地涨价。理发的价格从八元涨到了十元，然而他并没听到什么抱怨之声。但是不久，"金融海啸"竟啸到了他这一行。虽然不曾见海，其啸却来势汹汹。一概废品的回收价格都降了一半，而那意味着他们的收入每天，每月，每年便也减少了一半……

某天夜里，妻子轻轻推了他两次。

他说："我没睡着。"

躺下以后，他就不曾合过眼睛。而妻子，却是睡着了一阵又醒来的。她已经在两个月前开始做钟点工了，做钟点工不能带着小孩。白天，他们四岁的儿子跟他一起守摊。简直可以说，小小的儿子也开始打工生涯了。

妻子没头没脑地问："咋办？"

但他一听就明白她在问什么。

他说："挺。"

妻子沉默一会儿，低声哭了。

他摸索到她一只手，握了握，又说："别哭醒儿子。"

儿子不知道有什么金融海啸，当然也不觉得有什么危机正压迫着他们一家三口。儿子挺乐于跟他一块儿守摊的，困了就偎在他怀里睡一觉。

第二天，他与妻子统一了意见；妻子当晚将儿子送回老家去了⋯⋯

雨仍在下，丝毫没有停的迹象。菜摊的主人们也都躲到避雨的地方去了，隔街望着各自的菜摊而已。他们成心不罩他们的菜——萝卜、土豆、柿子、黄瓜、各类青菜，被大雨一淋，红的更红，紫的更紫，白的更白，绿的更绿了，正中摊主们的下怀。他们倒是都有点儿感激金融海啸的。"贵？金融海啸了，不涨价格，我们还有活路吗？"——他们每说这一类话，嫌贵的人听他们那么一说，就不好意思讨价还价了。

阿伟羡慕他们，然而并不后悔。毕竟，他所占据的三平方米地面是合法的。2009年六千多元的管理费，他在年初如数交了。而他们，城管人员一来到这条小街上，便顷刻作鸟兽散。

雨虽然将菜淋得更新鲜了似的，但街面上流淌着的水却那么污浊，各种各样的垃圾顺流而漂。阿伟却一向以极亲切的眼光来看这一条小街，包括此刻。因为，他视自己那三平方米地面为宝地。在过去的三年多里，他靠它挣了六七万元啊！农村里哪儿有这么宝贵的一小块地啊！

"你手机响了。"——站在铁门旁的保安对他大声说。

他赶紧掏出手机。

"响两次了。"

"是吗？谢谢，我没听到。"

手机里传出一个小伙子的声音，催他到一幢楼里去收废品。他本想说等雨停了再去，听出小伙子很急，张张嘴没那么说……

给他开门的是个二十六七岁的小女子，看样子刚迈出大学校门不久；一个三十多岁的男子在屋里对着手机大声嚷嚷："那不行！有规定不能随便裁人！我给公司出了多年的力了，凭什么找个借口就想一脚踢开我？少废话！我不管什么金融海啸不海啸，法庭上见！……"

想必，便是他以为的小伙子。

小女子刚将一纸箱塑料瓶放在门外，那男子一步跨到门口，对他大发其火："你他妈怎么回事儿？拨过你两次手机了！"

他愣了愣，低声说："下雨，没听到。保安告诉我才听到的，对不起。"

"你他妈聋了？"

他又说："对不起。"

小女子默默将那男子推开，催促他："快点，快点儿。"

他数了数瓶子，忍气吞声地说："总共七角。"

"七角？！"——那男子又冲到了门口，指着他声色俱厉："多少钱？再说一遍！"

"八个小瓶，每个五分，五八四角。三个大瓶，每个一角，三角。四角加三角，七角。信不过我你亲自再数一遍。"

"你骗谁你？当我们没卖过瓶子啊？明明小瓶子一角，大瓶子两角，你怎么按五分收？按一角收？……"

"那是去年的价。今年就是我收的价……今年，你们也知道的，金融海啸了……"

"啸你妈的头啊！你个收破烂儿的，也他妈敢打着金融海啸的幌子

229

呀？你配吗你？……七角钱！老子宁肯扔了也不卖了！……"

那男子气呼呼地跨将出来，捧起纸箱，几步走到公共垃圾桶前，将纸箱扔入。之后，看也不看他一眼，返入家门，将门啪地关上……

阿伟生气地望着那门。他记得以前也来这一户收过废品，主人并非刚才那一对男女。显然，主人将房子租出去了。为了上门来收废品，他淋得落汤鸡似的。那些瓶子一扔进垃圾桶里，捡它们的权利便属于这幢楼的清洁工了。这是小区里的规定。任何别人捡，等于侵权。侵犯别人权益之事，阿伟是做不来的。尽管，他这会儿将纸箱子从垃圾桶里捧出来，没人会看到。他有点儿想那么做，但也只是一念闪过而已。这幢楼的女清洁工，也是从农村出来的。他认识她，他俩常在一起聊农村人进城打工的不容易。他俩同命相怜。他觉得他如果照自己那一闪念去做了，未免太可耻。

他也特想踹开门，将那男子也狗血喷头地骂一顿。如果对方敢跟他动手，他才不怕。打就打。都是高矮胖瘦一般般的男人，谁怕谁？却同样是一闪念而已。听了那男子对着手机嚷嚷的话，他不愿和对方一般见识了。

落汤鸡般的阿伟是在十五层楼。电梯迟迟不上来，他等不及，索性下楼梯。

外边，雨终于变小。阿伟出现在楼口台阶上时，天空已经有些见晴。他抬头望望天空，郁闷情绪因之稍释。

"挺。"

他喃喃自语，不料脚下一滑，从台阶上跌了下去。

他站了几次，没站起来……

在医院，妻见他一条腿上了夹板，立刻就哭了。

"咋办？"

"挺。"

"你都这样了，还怎么挺啊……"

"世上从来没有一直不过去的事儿……咱们那三平方米宝地得坚守住！不放弃，绝不放弃！哪怕把以前挣的钱再贴进去，也要守住！守住了那三平方米地方，盖新房子就还是有希望，供儿子将来上学的费用就不愁！……"

这农村年轻人的脸上流下泪来，然而，那话语却说得掷地有声。

"听说，不久这条街要改造了……"

"咱不怕。不管怎么改造，城市人家总还是有废品的。咱那地方，是合法的！"

……

几天以后，阿伟又出现在他的宝地旁。由于一条腿上了夹板，他只能侧身而坐。那样，他上了夹板的腿就可以平放在水泥台上。

那是很累的一种坐法。

在小区的广告板上，新贴了一张纸，上写几行字：

由于金融海啸的影响，废品收购价格全都下降了50％，请大家理解。又由于本人跌断了腿，一个时期内不能上门收购，也请多多原谅！特殊时期，让我们共渡难关，朝前看。希望在前边！……

培养一个贵族是容易的

"培养一个贵族至少需要三代的教养。"——众所周知，这是巴尔扎克的名言。

我想，一个人是不是贵族，或者像不像贵族，至少有一条标准——那就是看他或她的言谈举止、待人处世是否达到了所谓"贵族"的风范。比如是否斯文，做派是否优雅，是否深谙"上流社会"的礼仪要求，等等。

巴尔扎克的名言曾被我们中国人广泛引用。原因是"一部分中国人先富起来"了。他们行有名车代步，止有靓女相陪，大小官员常是他们的座上客，这个星那个星常是他们的至爱亲朋。他们每每出手阔绰，一掷万金几万金十几万金，以搏奢斗豪为乐为荣，因而便都俨然贵族起来了似的。而有些人则指责他们还算不上真正的贵族，所持的根据就是巴尔扎克的名言。我也引用过巴尔扎克的名言。但是现在我不太相信"巴先生"此名言的正确性了。

《百万英镑》这部电影，就具体、形象、生动地颠覆了"巴先生"的名言。一个落魄到走投无路的青年，一旦拥有了百万英镑，不是在很短的日子里，便顺理成章、自然而然地完成了由一个穷光蛋嬗变为一位贵族的过程了吗？

美国还有一部电影《不公平的游戏》。讲的是两位老资本家在百无聊赖的情况下打了一次十美元的赌——一个要使一名怎么也谋不到职业整日流浪街头乞讨的黑人青年迅速成为大亨，从里到外贵族起来；一个要使一位踌躇满志、不久将成为自己乘龙快婿的"准贵族"白人青年，从贵族的高门槛外一个筋斗跌到贫民窟去。结果两位老资本家都不费吹灰之力地达到了他们之目的。

至于什么风度啦，礼仪常识啦，言谈举止啦，那都是完全可以在人指导下"速成"的。绝不比一个厨子的"速成"期长。

反正两部电影是这么告诉我们的。信不信由你。

别说贵族了，国王也是可以"速成"的。

还有一部外国影片，名字忘记了。讲的是这样一个故事——王后生了双胞胎，由于某些大臣们的野心暗中起作用，将本该按老国王遗嘱继承王位的哥哥从小送出了王宫，沦为穷乡村里的贫儿，使弟弟成功地篡了位。二十几年后，另一些大臣出于同样的权势野心，将哥哥寻找到了，暗中加紧"培训"。当然是按国王的言谈举止、风度和威仪进行"培养"的。"速成"之后，绑架国王，取而代之。弟弟从此由王而囚，并被戴上了金头盔至死……

可见，"巴先生"的名言，的确是不足信的。

波斯王一世居鲁士大帝出身于平民。

按说，居鲁士的儿子该是平民的孙子。可其毫无平民情感，在历史上是臭名昭著的。他在宫廷里自小就骄横跋扈，目中无人，不可一世。

有一次他因对其父王无礼，遭居鲁士训斥。

居鲁士说："从前我跟我父亲讲话，绝不像你现在跟我讲话的样子。"

小居鲁士仰脸叉腰地说："你只是平民的儿子，而我，是居鲁士大帝的儿子，咱们两个是可以相比的吗？”

老居鲁士非但未怒，反而异常高兴，将儿子搂在怀中，连连夸奖：“说得有理，说得有理，果然不愧是居鲁士大帝的儿子！”

一位大帝的儿子，是多么容易否认自己也是平民的孙子啊！对平民阶级，又是多么自然而然地就予以轻蔑了啊！哪里需要三代之久才能洗心革面脱胎换骨呢？

扫视我们的生活，谁都不难发现——中国正"速成"地派生着一茬又一茬的大小"贵族"。长则十几年内，短则几年内，再短甚至一年内，几个月内，几天内，一些原本朴朴实实的老百姓的孙儿孙女，就摇身一变，变为"大款"、"富豪"，起码是什么"老板"的公子或千金了。这一种变当然也是好事。总比他们永远是老百姓的孙儿孙女甚至不幸沦为贫儿妓女要好。但遗憾的是，他们一旦"贵族"起来，在风度、礼仪、言谈举止方面，反而变得越发地缺少甚至没有教养。变得像些个小居鲁士一样。而他们的成了"大款"、"富豪"或"老板"的父辈，也那么自然而然地便忘了自己其实是——可能不久前仍是老百姓的儿子。他们对他们自己像小居鲁士一样骄横跋扈，目中无人，不可一世，专善比阔比奢的儿子，又往往是那么地沾沾自喜。

这些个"速成"起来的中国"贵族"，对平民百姓的轻蔑，毫无感情，毫无体恤，毫无慈悲，据我所知，据我看来，是比巴尔扎克笔下的某些贵族人物对平民百姓的恶劣的"阶级立场"尤甚的……

所以中国有话道是"千好万好，不如有个好爸"。

所以当代中国人一般只比"爸"而不怎么比"爷"。

因为一比祖父，现今的许多达官新贵，才子精英，文人学士，名媛淑女，则也许统统都只不过是农民的孙儿孙女了。

所以，巴尔扎克的名言，放之于中国而不准也。

培养一个劣等贵族是极容易的！

……

当"交管"撞上"人文"

告别的话

这是我最后一次发文章于博客，便有些告别的话要说。

事实上我与电脑的关系一点儿也不亲密，我的手至今未在电脑上敲出过一个字。博客是当初应要求而来，而且起初由网站打理。但凡是署我名字的所谓"博文"，确乎每一个字都先由我写在稿纸上。后来我便为此将文移送打字社，可渐觉麻烦。

我对网络亦敬亦厌，视之为公园中辟垃圾场、垃圾场旁设"民众法庭"的领地。奇树异花、正义审判往往与"私刑"现象"交相辉映"，穿插着骗子行径，假货叫卖声不绝于耳。

然而网络终究改变了中国，故我的敬是第一位的。

我发自内心地感激曾光顾我博客的人们——那些蹿到此园中大小便者除外。

有些朋友留言给我，我却因不会打字而从未回应过，一直心存大疚。这既悖情理亦不公平。不公平而悖情理之事，不可让它继续。

下面一篇关于"交管"的杂感，写成于今年（2012）八月份。起初想写的是一份正式提案——但提案在明年两会时才受重视，而我当时如鲠在喉，不吐不快，等不得明年之后。于是投往各报刊，答复皆是"不宜发表"。无奈而取下策，决定编入明年年初将出版的文集中。

近闻中央向"大公仆"们颁布了新"八项注意"，其中竟有限制因他们出行而一向成规的"交管"一条，诧异之余，感想颇多。

换一茬人，换一种思维，某些事，想改变也就开始改变了。

中国之事，难者固难，易者实易。最难者，在于"改"自己。唯其难，先难而后易，民众也肯定是拥护的。

我于新"八项注意"的颁布，看到了某种希望之光。

愿那光并不一现而逝……

此文所言"交管"，自然指"交通管制"。

全中国许多城市都实行过"交管"。北京是首都，也自然便成为全国"交管"次数最多的城市。

"交管"现象古今中外皆有。此是交通管理特殊措施，亦是必要措施。发生严重交通事故、公路恐怖袭击事件、自然灾害破坏公路的情况，交管部门必定启动"交管"措施。"大公仆"们出行视察、迎送要客、贵宾，肯定也必启动"交管"措施。一是为了保障他们的车辆行驶顺畅；二是为了保障他们的安全。我们都知道的，他们不无可能会成为形形色色的恐怖分子进行袭击的对象，尤其是在社会动荡不安的时期。

然而在中国，在北京，蓄意针对"大公仆"们或来华要客、贵宾们实行的恐怖袭击阴谋，似乎还从没听说过。偶所发生的，只不过是拦车跪呈冤状的事件罢了。即使这种并不多么恐怖的事件，居京三十五六年之久的我，也仅听说过一两次，并且拦的主要是京官们的车，还从没被新闻报道证实过。由此似可证明，中国之"大公仆"们，其实人身一向是挺安全的。也似可证明，其实中国公民，是世界上最不具有对公仆们进行暴力攻击性的公民。个别例子是有的，但都发生在外省市，且攻击对象每是小官吏。细分析之，那些小官吏之所以受到暴力攻击，通常与他们自身的劣迹不无关系。"文革"十年是要另当别论的。那十年中，暴力行为披上了"革命"的外衣，人性原则受批判，法理"靠边站"，不要说"公仆、大公仆"们了，也不要说"黑五类"们了，就是"红五类"们，稍有不慎言行，往往也会成为同类们的攻击对象。

从前的事就不说它了，单说近十几年，不知怎的一来，为保障"大公仆"们之出行顺畅和安全而采取的"交管"，不但次数多了，而且时间分明更长了。

次数多是好事，意味着"大公仆"们经常在为国务奔忙。但每次"交管"的时间长了可不是什么好事，无疑会使北京本就严重的交通堵塞情况更加严重，结果给人民群众的出行造成诸多难以预料的阻碍。

我曾遭遇过三次"交管"。

一次是要乘晚上六点多的飞机到外地去开会。六点多起飞的飞机，究竟该几点出家门才不至于误机呢？我家住牡丹园，心想三点出家门时间肯定较充裕啊。那天"打的"倒很顺利，三点十五分已经坐在出租车里了，却不料半小时后，堵在机场高速路上了——遭遇了"交管"。这一堵不得了，一下子堵了四十分钟左右。"交管"刚一结束，前方被堵住的车辆极多，有两辆车都企图尽快驶上机场高速路，却偏偏在路口发生了碰撞……

我自然误了点，所幸我乘的那次航班本身也晚点了，两小时后我还是坐到了飞机里。但不少人就没我那么幸运了。他们中有人要求改签时，与航空公司方面的服务人员发生了激烈口角。

一方责备误机的人应自己掌握好时间；误机的人却强调，"交管"又不像天气预报，怎么能料到半路遭遇？——"交管"属于"不可抗力"。

偏偏航空公司方面的人还认真起来了，以教导的口吻说"交管"根本不属于"不可抗力"。

旁边就有同样因那次"交管"误机了的些个人嚷嚷：那你们的飞机停在了跑道上迟迟不起飞，不是每每对已经坐在飞机里了的乘客广播是遇上了"管制"吗？如果"空中管制"是"不可抗力"，那么公路交通管制怎么就不属于"不可抗力"了呢？如果"交管"并不属于"不可抗力"，那么"空中管制"也同样不属于"不可抗力"。如果"航空管制"同样不属于"不可抗力"，那么航空公司就应对乘客进行误事赔偿。

道理涉及赔偿不赔偿的，航空公司的人更不相让了，说"空中管制"与"交通管制"是不能相提并论的……

一句话激怒了另几位因那次"交管"误机的人，都嚷嚷道先不改签了，非先将是非辩论清楚不可！

大家都知道的，我们今日之同胞，是多么地喜欢辩论啊！

幸而航空公司的一位领班人士出面了，批评了自己人几句，安抚了误机者们一番，唇枪舌战才算平息。

"航空管制"也罢，"交通管制"也罢，是"不可抗力"，或非"不可抗力"，我至今也没想出个明白。

但有一点我觉得那是肯定的——头一天像预告天气一样预报因"大公仆"们出行而必要实行的"交管"，有关方面无论如何是做不到的。

因为那肯定属于安保机密啊！

我第二次遭遇"交管"，是在从机场回家的路上，也是在出租车里。那天是星期六傍晚，从郊区返回市里的车辆极多，时间也是四十多分钟，公路几乎成了停车场。最大车距一米左右，最小的车距也就一尺。一辆挨一辆，堵塞了近两站地。有人内急，公路上又没厕所，干脆一转身，就在公路边尿起来。特殊情况下，那么解小手，尽管不文明，但也可以理解。问题是还有人竭力憋着急需解大手，那可就真是个痛苦的问题了。即使人人理解，不以为耻，"当事人"自己还觉臊得慌呢！人高马大的一个大老爷们儿，憋得脸色紫红，五官一忽儿正常，一忽儿扭曲，一忽儿捂着肚子蹲下去，一忽儿出着长气直起腰。直起腰五官恢复了常位时，则就开始高声大噪地骂娘。而车里车外，男的女的，开车的坐车的，无不望着他同病相怜地一起笑骂，笑骂的倒也不是"交管"这种事本身，而是时间太长……

我第三次遭遇"交管"，不是在车里了，而是在一座跨街天桥的上桥台阶口。那天一早，我跨过那一座桥，去往一处银行取款。银行九点开门，我八点半就排在门外边了。在我前边，是一对七十岁的老夫妇。他俩一早散步后，捎带存款。

等我办理完毕，走到跨街桥那儿，赶上了实行"交管"。原本以为，所谓"交管"，实行的只不过是对某一段公路的戒严。那日始知，还包括对于沿路所有跨街天桥的戒严。细想一想，谁都不能不为执行保安任务的同志们考虑得周到而心生敬意——许多跨街天桥上从早到晚总有摆摊卖各种东西的小贩，自然会吸引不少过桥人驻足。若有危险分子混迹于买卖者之中，待"大公仆"们的车辆从桥下经过，居高临下发起什么方式的攻击，后果不堪设想。即使没实现攻击目的，制造成了一次耸动的新闻也太影响社会祥和了呀！

所以，对某些跨街天桥也实行清除人员的戒严措施，不能不说是对"大公仆"们的人身安全高度负责的体现。也不能不说，是人民群众理应予以理解和配合的。

当时的我正是这么想的。

我周围的许多等着过桥的人也显然是这么想的，所以皆无怨言地默默地等。

不怕一万，就怕万一嘛！

但有一对老夫妇却等不及了，强烈要求允许登桥、过桥。他们是在银行门外排于我前边那一对老夫妇。

要求再强烈，起码得有理由。

他们的理由听来倒也充分——那位大娘急着回家上厕所。大爷替她请求说，她老人家排在银行门外那会儿就想上厕所了，自以为憋半个小时没问题，可太自信了，那会儿就有点儿憋不住了……

每一次的"交管"时段，最有怨言的便是急着上厕所的人了。

在跨街桥两端的台阶口，各站一名年轻的武警战士。在我这样年纪的人看来，他们是孩子。对于那一对老夫妇，他们当然更是孩子。

大娘对守在桥头的小武警战士说："孩子，你看大娘像坏人吗？"

小武警战士看去是那么地心性善良，他默默摇头。

大娘又问："你看我老伴儿像坏人吗？"

小武警战士又摇头。

大娘便说："孩子，那就让我俩过去吧，啊？大娘真的急着回家上厕所，不是装的。"

小武警战士终于开口说："大娘，我知道你们不是坏人，也信您不是装的。可我在执行命令，如果我允许您过桥，那就等于违反命令，我会受警纪处分的。"

周围的人就都帮大娘劝小武警战士，说你既然相信这老两口肯定不是坏人，明明看出大娘不是装的，那就行个方便，别拦着了，放他们老两口过桥嘛！

周围的人那么一说，小武警有点儿生气了，沉下脸道："不管你们多少人帮腔，反正我坚决不放一个人过桥！"

他这么一说，顿时可就犯了众怒。周围的人开始七言八语地数落他，夹枪带棍的，训得他一次次脸红。

他朝街对面也就是跨街天桥的另一端望一眼——那边厢虽然也有十几个人等待过桥，却显然没人急着回家上厕所，情况相当平静，看去那些人也耐心可嘉。

他突然光火了，抗议地说："如果我犯了错误，我受处分了，你们谁又同情我？同情对我又有什么用？你们以为我穿上这身武警服容易吗？"

他委屈得眼泪汪汪的了。

又顿时地，人们肃静了。

那会儿，我对急着回家上厕所的大娘同情极了，也对那眼泪汪汪的小武警战士同情极了。

我明白他朝桥那端的另一名小武警战士望一眼意味着什么。正因为明白，对他的同情反而超过于对大娘的同情了。

我看出、我明白了什么，别人们也都明白了——他是怕他这一端放行了那大娘和大爷，桥那一端的小武警向上级汇报，而那后果对他将是严重的；起码这是他自己的认为。

人们的那一种沉默，既体现着无奈，也体现着不满。而不满，当然已经不是因小武警战士引起的了。

双方面都倍觉尴尬和郁闷之际，多亏一名外来妹化解了僵局——她先说大家那么气愤地数落小武警战士，对人家是欠公平的。后说她知道什么地方有一处公厕，愿引领大娘前往。

众人望着那外来妹和那大娘的背影，纷纷地又请求小武警战士的包涵了。小武警战士说没什么，只要大家也能理解一下他的难处就行了。

他说罢转过身去，我见那时的他脸上已有眼泪淌下来……

我回到家里，不由自主地陷入了沉思。

联想到《列宁在十月》这部电影里的一句台词："从骨头里觉得……"

是的，当时的每一个人，包括小武警战士本人，分明都看得出来两点：一、那大娘和大爷肯定是大大的良民无疑；二、那大娘确实是要回家上厕所，也确实有点儿快憋不住了。

那么，放他们通过跨街天桥去，在小武警战士那儿，怎么就成了坚决不行，并且也要求被充分理解的"难处"了呢？

如果他放行了，情况很可能是这样的——戒严任务结束后，桥那一端的小武警战士，十之八九会向领导汇报。倘他俩关系挺好，桥那一端的小武警战士大约不至于汇报。但我从他朝桥那一段望过去时的表情推断，他俩的关系并没好到对方肯定不至于汇报他违纪做法的程度。

如果对方汇报了，那么又有以下三种可能——一种可能是，领导认为他能急人民群众之所急，做得完全正确，非但没批评他没处分他，反而当众表扬了他。并且强调在特殊情况之下，既要保障"大公仆"们的车辆通行安全，也要兼顾人民群众之方便；另一种可能是，领导既没对他进行警告、批评乃至处分，也没表扬，什么态度也没有，将事情压下了；第三种可能是，对那位"放行"的小武警战士进行严肃甚至严厉的批评，给以处分，为的是惩一儆百。

三种可能中，最大的可能是哪一种呢？

我觉得最大的可能是第三种情况。

交通管制是为了什么？为了确保首长们的车辆通行时绝对安全。确保是什么意思？那就是万无一失！万无一失怎么才能做到？那就必须提前戒严。身为武警战士，执行的正是戒严任务，那你为什么还要违反命令放人过桥？

不怕一万，就怕万一……

顺着这一种思想惯性思想下去，会思想出各种各样后果严重的"万一"来。

总而言之，若不处分，行吗？

结果小武警战士的命运就注定了特值得同情了。用他自己的话说——即使有人同情他，那同情对他又有什么实际的意义呢？

尤其是，如果他的直接领导是一位新上任的领导，那么采取最后一种态度的可能性几乎会是百分之百。不一定坚持给予处分，但批评和警告是绝对免不了的。

新上任嘛，来日方长，不重视执行命令的严肃性还行？

于是，会释放一种信息——为了确保"大公仆"们的车辆通行安全，没有什么特殊情况不特殊情况的，一切人的一切要求、请求，不管听起来看起来是多么地应该予以方便，那也是根本不能给予方便的……

第二种可能性不是没有，但会很小。有的前提必是——那个小武警战士的直接领导者即将离退，心想多大点儿事呢，一直对下属要求严格，这一次就别太认真了吧，于是息事宁人地"嗯嗯啊啊"地就过去了。又于是，那小武警战士侥幸避过"一劫"。这种结果，只能是恰逢直接领导者即将离退，连即将晋升都会是另一种结果。让我们假设他的直接领导者是位排长，他听了一名战士的汇报，怎么可能完全没有态度呢？那么，态度无非两种——一种是自己行使批评警告的权力，事后却并未向上一级领导汇报；一种是既然实行了批评警告，作为一种擅自违反保安命令的现象，自然还须向连长汇报。而一旦由排长汇报给了连长，再由连长汇报给了营长，那一件事，极可能就成为全团进行职责教育时的反面典型事例了！

可是依我想来，它多么应该成为这样一件事啊——当大娘讲完自己要过桥的理由之后，小武警战士礼貌地说："大娘，我在执行任务，不能搀您上桥了，您二老别急，慢慢上台阶，慢慢过桥去啊！"

如果当时的情况竟是这样，那么周围的人自然也就不会七言八语地训他了，内心里必会觉到一分这社会的温暖了。那老大爷，自然也就不会郁闷到极点地哼出那么一声了。

明明可以这样地，为什么就偏偏没这样呢？

想到这里，我觉得，第一种可能性的概率几乎为零。

并且接着做如是想——即使我是那位小武警战士的排长、连长或营长，我内心里本是要这么表态的——他做得很对啊！在任何情况之下，我们都应兼顾到人民群众的方便，希望大家以后向他学习！

可是，我真的敢将内心里的这种态度变成欣慰又热忱的话语说出来吗？

我觉得我没有足够的勇气。

我会顾三虑四。

如果，我的话传到了我上级的耳中，他们根本不认同我的思想呢？

或者更糟，我的战士们接受了我的思想，在某一次执行"交管"任务时，遇到类似情况，也好心地放行了，结果出事了呢？比如正值"大公仆"们的车辆通过，被好心放行的人，从怀中揣出什么标语，刷地从桥上垂将下去；又比如，看去那么温良的大娘或大爷，一旦上了桥，却要往桥下跳呢？当下社会矛盾多多，谁也没法预知别人是否纠结于什么矛盾之中！……

不怕一万，就怕万一。

那"万一"一旦发生，一名小排长兜得住其重大责任吗？

从那日以后，我对于我这样的作家所一向秉持的——要用人文主义创作原则进行创作、以包含人文主义元素的作品影响人们、进而改变社会风气的坚持，好生地灰心丧气。

并且，感觉到着一种前所未有的悲哀——因为我为之再三思想的这一件事，"大公仆"们肯定从不知晓。

"人文"之社会元素是什么？

以最具体、最起码的理解来说，无非便是人人都较自觉地使我们每个人天天生活其中的社会大家庭里增添一些能使人心暖和一下的想法和做法而已。

"人文"之社会元素在哪里？

它首先在人的头脑里，体现为一种思想；随之要注入人的心里，体现为情理；再之后变为言行，体现于社会的方方面面。

可要使我们国人的头脑里也有几分"人文"思想，怎么就这么难呢？

试问诸位读者，如果你是那位小武警战士，你当时会怎么做？如果你是他的领导，你听了汇报之后，又会如何表态？

而同样值得同情的，我认为也包括"大公仆"们。

因为我相信，他们如果预先知道，或事后知道，由于他们的出行，一位大娘憋了一泡尿，却不能赶紧过一座跨街天桥回家上厕所，他们要不生气才怪了呢！

但他们预先当然不会知道。

事后当然也不会知道。

在中国，"人文"二字的朴素原则，正是被如此这般地解构的。

好比从前中国孩子用几块石子就可以在地面上玩的游戏——"憋死牛"……

注：真没想到我的提案竟可以不写了；也真没想到我这篇文章其实没了收入预出版新书中的意义——然而这种"真没想到"，是高兴的感觉。

又，据我所知，在北戴河，以往的"大公仆"们，每人每家是"分配"了一处海滩的，不消说都是海滨好地段，估计还有四五十处之多。若此"规"不改，一直分下去，哪一天是个头呢？

独乐乐，与家人乐乐，何如与民共享美好海滩乐？

我想，索性连这一点也干脆改了吧！

可保留一处海滩由"大公仆"们共享海泳之乐，其他以往"禁地"，拆除安全隔离设施，归还给公众，那正体现着美好自然资源的国民共享原则啊！

三份提案

一、诸腐败现象之中，以贪污受贿行径对国家对人民利益的危害最为直接也最为严重；而贪污受贿行径，又必与各类工程项目发生关系。项目越大，投资额数越高，贪污受贿亦越严重。每每，一项工程从招标到实施的过程，便有一名甚至几名因贪污受贿而东窗事发，结果成阶下囚的官员。通常情况又往往是西院失火才导致东窗事发，足见预防性监督是多么地不利。

今后，不论是国家投资的重点工程项目，以及各省投资的巨大工程项目，投资超过一亿或两亿的，除因保密性质不便公开而外，皆应提前向全社会公开——比如投资具体额数，招标与中标过程，谁是总负责人；谁负责采购；谁负责工程实施等等，都应分开得清清楚楚，欢迎所有公民、民主党派、人大代表及政协委员们质疑、监察，甚至提出对负责人的资格否定。在没有确凿证据的情况下，一切意见、建言供参考；而否定理由成立的情况下，当予以采纳。

而投资（主要指政府投资）数额较低，比如在五千万至一亿或两亿之间的，也应在政府各部门内部以及各级人大、政协范围内实行公开，以主动接受监督并便于监督。

二、中国目前仍有不少农村，因这种那种原因，总体处于极其破败之境。对于已离开的形形色色的人们，可曰之为"不愿回顾的家园"或"伤心家园"；对尚留在那样的农村的人们，则可说是"绝望的家园"或"嫌恶的家园"、"恼火的家园"。

那样一些农村，一般存在于僻地。

农村城镇化进程的国策，在相当长的时期内难以变成其农民过上好生活的希望。目前建筑材料涨价，以为那里的农民靠外出打工挣钱自会改善家园面貌，基本上是不切实际的想法。而不管是谁，如果在农村的家园是那般情形，并且又几乎被忽视，每一想及，心绪必会糟透了。

建议中央政府开始实行"改变伤心家园"计划——像普查人口一样，对于中国究竟还有多少那种破败之相令人不忍目睹的农村开展普查，分出等级，从最令人伤心的农村一批批进行改造。

总之，应提出这样的口号——从中国大地上消除被"嫌恶的家园"！一个五年一个五年地坚持下去，必见成效，也必受到人民的拥护。

当然，这是需要花大钱的事情。但这种钱国家最值得花，也最该花。经费应由中央政府、地方政府，农民本人三方面按适当比例组成。农户所承担不应高于一半，并给予贷款优惠政策，以自愿为原则。

三、中国现有"留守儿童"八千几百万。中国进城务工的农民父母之人数还会不断增加。那么，在未来十年内，中国"留守儿童"的数量估计将过亿。

不是所有进城务工的农民的家园都是"伤心家园"。

也不是所有"留守儿童"都一概地命运特别凄惨。

这里所言的，是那些"留守"在破败农村的儿童、少年。那些农村既破败，一般也就没有像样子的学校。没有像样子的学校，自然也就没人愿在那些农村当老师。

所以，那里的"留守儿童"，确乎既不但"留守"，而且经常流泪，更往往失学。他们若想上学，往往是年龄小小的便成了镇、县学校的"住宿生"。而一到假期，多数又只能回到农村，沦为缺少成人照料的儿童、少年。

使他们都随父母去到城市，进入城市的学校，愿望是良好的，但短期内实现起来既不现实，也往往影响他们的父母在城市里的工作稳定性。

建议——在对那样一些破败农村实行面貌改造的同时，可考虑建有"当代塾学点"。孩子多的大村可建一处，孩子少的小村可二三村建一处，村与村相距以不超过孩子们的步行限度为宜。

在从前年代，中国的塾学，为中国培养了一代代优秀的儿童、少年。其中不少，接受了那种启蒙教育后，成长为国家栋梁。那类塾学，五六个孩子也教，十几个孩子也教，二十几个孩子也教。

我认为，在中国的有些农村，应该尝试进行"当代"塾学"教育"。受此种教育的农村小学生，升入镇、县中学时，应按各地常规照例接收，不得以任何理由歧视、拒收。

而塾学教师，可由各村推荐农村小学的退休教师；工资享受当地正式教师之返聘待遇，由家长及地方财政补贴达标。而责任是既不但教授文化知识，还要代家长育人，形成"留守儿童"在农村有人管的局面。

而各农村党支部，则应将对农村"塾学点"的监察、要求，当成一项重要的工作来抓。

也许，中国"当代塾学点"之尝试，还能为中国之教育，实践出一种新途径。

注：此三项提案，因作者本人今年"两会"请了病假并获批准，于春节期间记于日记之中，打算在"两会"结束，国务院新班子组成之后提交。本书编者征得作者本人同意，从其日记中摘出，收入书中。

附录

文化与和谐社会
——凤凰卫视第220期《世纪大讲堂》演讲稿

主持人：欢迎走进《世纪大讲堂》，这里是思想的盛宴，这里是学术的殿堂。在我上中学的时候，读小说是我最大的爱好之一。那个时候正是知青文学非常火爆的年代，我自然也没有能够例外。直到今天，我还非常清楚地记得，我捧着一本非常厚的《雪城》，通宵达旦，爱不释手。无论是《今夜有暴风雪》还是《雪城》，我都曾经读了一遍又一遍，而书中所描述的那种英雄主义、浪漫主义、理想主义，却又充满了悲剧色彩的氛围，始终让我久久地回味。以至于我这个在上个世纪70年代出生的人，也开始对北大荒，对知青生活充满了向往。而今天我们大讲堂就非常荣幸地邀请到了《今夜有暴风雪》和《雪城》的作者，同时呢，也是北京语言大学中文系的老师梁晓声先生来到了我们的现场！（掌声）欢迎您！

梁晓声：你好。

主持人：请坐。我们还是先一起来了解一下梁晓声先生。

梁晓声简历：

梁晓声先生1949年出生，山东荣成人。曾经当过知青，1977年毕业于复旦大学中文系，1979年开始发表作品，短篇小说集包括《天若有情》、《白桦树皮灯罩》、《死神》，中篇小说集有《人间烟火》，长篇小说有《一个红卫兵的自白》、《从复旦到北影》、《雪城》，等等，而其中短篇小说《这是一片神奇的土地》、《父亲》以及中篇小说《今夜有暴风雪》，都曾经获得全国优秀小说奖。从2002年开始，梁晓声先生在北京语言大学中文系任教，教"文学写作与欣赏"，同时还是中国作家协会的会员。

主持人：我想可能很多人熟悉您的名字，都是从您那些知青题材的小说开始。我知道您自己也曾经到北大荒去插过队，那个时候的事情和我们来讲一讲，好吗？

梁晓声：初中毕业，1968年，那时已经在城市里等待了两年，既不能升学，又没有工作，而且家里生活比较困难，我的哥哥在生病，而我是班级里的勤务员，因为毛主席有一句话叫做"我们的干部不论职位高低，都是人民的勤务员"，那我实际上就是当时的班干部吧，有一个任务就是要动员我的同学们下乡，而且我的大多数同学跟我关系都比较好，我都了解他们家里的情况。这工作对我实在太难了，因此我就觉得，我还是自己先报名下乡吧，因此我是我们班的第一批，是我们学校的第二批，两位男同学一起报名下乡。

主持人：下乡的时候是一种什么样的心情？是充满了一种特别浪漫的幻想，觉得哎呀，真的充满激情，还是说那时候已经意识到后来的生活可能没那么简单。

梁晓声：应该说对未来几年没有很充分的估计，因为我们那时候也不过就是十八九岁嘛，但是对我来说，是非常理性的选择，并不像后来小说里所写的，以及人们谈的，完全是抱着一种理想主义去改天换地的。离开北大荒之后，我自己也从来没有言说过后悔，更没有抱怨过，因为这是我自己的选择。

主持人：后来文学是伴随了您的一生，可能应该说，在您这么多作品当中，大家也都想知道，您最喜欢的是哪一部，最不喜欢的是哪一部？

梁晓声：是这样的，我到现在为止，差不多应该写了一千多万字吧，那么所有的中篇呢，凡是我觉得值得编成集子的，现在编成了五本集子，所有的散文编成了四本集子，短篇编成了两本集子。这还不算长篇和杂文，我把不能编入集子的那些，全都自己筛选下来，在这过程中，筛选下来的大约至少也应该有一百余万字，这一百余万字有一些在当时就是仓促而写的约稿，自己不想写，所以我给大家的一个建议就是说如果自己确实不想写的时候，那就不写，在那种情况下写出来的作品，肯定是不好的。

比较喜欢的应该说是《父亲》，或者那些知青小说，早期的作品我还比较喜欢，比较喜欢是一个什么原因呢？我们当时稿费极低，（最初）每千字五元，万字五十元，对吧？那个情况下的写作变得非常纯粹，那纯粹是要表达，因此那时候的写作真诚多，和商业的这种关系相当少，所以我自己有时候读早期的作品的时候，依然能感觉到一个文学青年对文学的那种虔诚和纯粹，这跟后来的市场化的写作状况是不一样的。

主持人：您好像是不用电脑写作的，直接是要手写的，是吧？

梁晓声：对。我五月份要出的长篇用的是三百（格）的稿纸，我写了一千四百余页，现在第二部长篇写到六百页，刚写了一半。如果没有电话，没有来客的话，缓缓地吸着一支烟，铺开平整的稿纸，下笔流利的话，那写作的状态，还是非常愉快的。

主持人：那么接下来的这段时间，我们也是暂时地把您拉开，从这个写作，让您又爱又恨的写作当中拉走，为我们来进行一个演讲。欢迎梁晓声先生为我们进行演讲——《文化与和谐社会》。

梁晓声：谢谢大家。

（掌声）

在社会学的词典中许多词意是相对的，并且像在语文学中一样，具有形容性、比喻性、象征性、指代性，如自由、民主、正义、公平、人道主义、博爱精神、和平原则，等等。由于这些词所代表的是非物理性质，非化学性质，非实验室结果的思想和理念，由于这是不可量化的，所以需要社会学者不断地进行解说和诠释。除非化学家，一般人不会经常去想和去问水的分子式为什么是H_2O。这样想或者这样问，要么是弱智，要么就是空前绝后的科学天才。那一般人也不会去想或者去问，1加1为什么等于2，又为什么在特殊的情况下，不等于2，我们大多数人通常的经验其实是早晨醒来睁开双眼，首先本能地考虑到的是我们和社会形态的关系，如果这个关系是令我们自己感到愉快和轻松的，我们就对自己的人生有信心，而且我们会由衷地热爱社会。反之，我们会对自己的人生感到沮丧，我们也会对社会充满抱怨。

因此马克思给"人"下了一个精辟的定义，马克思说这个"人"是一切社会关系的总和。即使后来许多人都认为马克思的结论是那样地精辟，但是这也不能够涵盖关于人的方方面面。

第一段

远古的时候，我们的祖先，其实和地球上的动物是一样的，他首先面临的是自己和自然界的一种关系。应该说近代人和自然界的关系，越来越受到关注和重视，包括中国人。但即使这样，我依然认为，人和社会的关系是第一位的。在中国，在现阶段，它更应该是第一位的。因为一个道理是那样地明白，如果人不能够调整好自己和社会的关系，社会本身不能够解决好它和各阶层人之间的利益关系的话，进一步说，假如一个社会不具有科学发展观的话，那么就会有一些人由于不断恶化和膨胀的贪欲，另外一些人由于贫困和最起码的生存，都对自然界实行破坏。前一种破坏可能是掠夺式的，后一种破坏有时是无奈的，但有时也是报复性的。通过对自然界的报复，来实行对于社会本身的报复。因此一个事实恐怕是，哪一个国家的社会本身越和谐，哪一个国家的人们和自然界的关系就越亲密，反之恶劣，我想大抵如此。那么人类本身的生活社会化了以后，矛盾重重，冲突多多，这时就需要许多方法来解决这些矛盾，来平衡这些冲突。这时就需要有许多思想，作为足够充分的理由来证明这些方式是对的，尤其是在那些方法还没有开始成为行动的时候，思想显得尤为重要。社会的发展常常是这样的，从前的矛盾、从前的冲突已经平衡了，已经解决了，或者还没有，新的矛盾、新的冲突又发生了。以前的方式、方法已经不适用了，但是新的方法还没有产生。在如此错综复杂的情况下，思想和理念就显得尤为重要。一些思想我们认为它成熟了，那它也必须得到修正、补充，甚至被反对。举例来说，二三百年以前在东方，尤其在中国，一夫多妻制应该是司空见惯的。男人们甚至还要以此来炫耀自己的财力，自己的地位，甚至男人自己本身的能力。

可是在西方，宗教和法律已经同时宣布一夫多妻制的不合法，不合社会文明，已经确立了一夫一妻制。但是同样在西方，那时对于同性恋却是视为罪孽的，视为洪水猛兽，他们经常把同性恋者绞死或者烧死。到了今天，几乎全世界都通过法律来确定一夫一妻制，而且全世界都对于同性恋由歧视到宽容、到由法律的信条来维护他们和所有人一样的社会权利。在这里我们看到道德与不道德，文明与不文明，经过了二三百年的时间，事实上发生了逆转。如果在今天一个人依然歧视同性恋，那么他可能被认为不是一个文明的人，不是一个有道德的人，他的言行也是不文明的和违背道德的。因此，比如说要编一部自然科学的词典，它是非常容易的。因为在自然科学的词典中，许多定义，许多概念，是固定不变的。而且也不允许轻易变动，轻易变动将成为科学界的一件大事。但是在社会科学方面，编一部这样的权威性的辞典是非常困难的。许多概念都处于不稳定性中，都处于变化中。社会学的词典，它恰恰是不可以固定不变的，一旦那样，那社会学本身就死亡了。那正是因为这样，我记得西方有一位社会学家就这样说过，他说上帝啊，如果让我从事的领域像自然科学一样，多一些固定的形态，多一些固定的常识，那多好呢！

因此我总在想，西方人动辄所言的那个上帝，它意味着什么？我不是宗教徒，但是我相信上帝，我想上帝肯定是有的，是决然存在的。在我的思想里，上帝第一是人；第二他不是一个人，他是全人类。上帝在未来，在五十年以后，一百年以后，五百年以后的未来，在睽视着当代人，睽注着当代人，我们看不见他们，我们接触不到他们，但是我们肯定会感觉到他们，因为我们知道，到时他们一定会存在在那里。

我们今天的所作所为，如果对于未来人类是有益处的，他们将通过历史来感激我们，如对于未来人类是有害的，那么他们将通过历史来批判我们。未来的人类亦即我认为的上帝，他们就通过批判我们，来达成对于我们当代人行为的一种惩罚，被钉在历史上。比如说中国的人口问题，我们想在50年代的时候，那一场关于中国人口问题的讨论，当时的人们大部分都已经作古了。中国的人口问题，现在降临在中国，它体现在中国，成为我们一切发展过程中第一位的、最大的难题。我们对此永远保留评说的权利，那这就是文化本身的力量。

那到目前为止，在社会学的词典中，我个人认为那些具有理想色彩的词汇，它依然具有着引领我们向理性的社会、向更好的社会走去的那一个意义。包括理想这一词汇，我们也应该重新去认识。中国人在从前的年代，受理想一词的伤害很深、很大。这使我们有一种心理，我们对于凡是具有理想色彩的事情，都抱有本能的潜意识里的排斥。而我个人想说这是不对的，也是不好的，对于一个国家或者一个民族甚至是有害的。我们很难设想，某国家所有的公民都是现实主义者，都不去想这国家的明天或后天的事情，不去想和自己的子孙后代息息相关的未来社会的形态。那未来的人们，作为上帝，也是会谴责我们的。

第二段

我个人觉得不是我们被理想扭曲了，而是我们自己曾经怎样地扭曲了理想这个社会学词典中最美好、最宝贵的词汇，扭曲了它原本的含义。比如说我自己，因为我从少年时到青年时读的一些书，都是具有理想色彩的，所以我是这样的一个青年。比如说我在小时候，读这个牛郎织女对吧，我对爱情就是从小、从少年起就抱有理想主义的看法。我认为只要是以心相许，以身相许，那物质又算什么呢？那时我想，哪怕我身边都是高楼大厦，但只要我能和七仙女生活在一起，依然是很幸福的。我当然和你也可以，是吧。比如说——（掌声）

主持人：我们在座的很多女同学，可能还希望您再加一句，说和我们这儿很多女同学也可以。

梁晓声：男耕女织，对吧？但是后来，男织女耕也可以的，对吧？"织"这一个动词，可以使男人感情更细腻，对吧？但是后来，我以少年和青年的眼在人世间，尤其是在低层，我看到了那么多贫贱夫妻百事哀的景象，这使我知道爱情不纯粹是一种靠理想、靠诗意来支撑的事件。而且我后来也知道，马克思的女儿爱上马克思的弟子拉法格的时候，马克思曾很认真地跟拉法格谈过，你将靠什么职业养家糊口？如果拉法格说，他要和劳拉一起效仿牛郎织女，去乡下男耕女织的话，我估计马克思也未见得会同意的。比如说读《悲惨世界》，当读到沙威投河身亡的那一段，他对我是有影响的。我相信关于良心的发现，关于良心的自我谴责，对于所有的人都是适用的。我相信人类大致都是这样的。但是后来在"文革"中，我以青年的眼，看到了那么多形形色色的沙威式的人物，他们是人，但是他们内心里绝对没有人性的温度。他们冷酷无情，他们在那个年代，完全变为没有正义可言，没有公平可言的国家机器的一部分。用别人的血来染红自己左派的红顶子，用别人的泪来洗自己左派的嘴脸。所以整个"文革"中，我亲眼目睹那么多这样的事情，这对于我的理想主义的形成是一种颠覆。而且我知道，这些人从不良心发现，从不忏悔。

那后来我在四十五岁的时候，因为你刚才谈到《雪城》，《雪城》的第一部是非常理想化的，充满了共青团精神。那因为我当年是班长、当排长，我本身是那样的一个青年。但是到《雪城》第二部的时候，其实已经，我自行地在破坏掉那样的一种氛围，使这些知青们在城市的非常琐细的生活中去体验人生。然后到了四十五岁的时候，我写过一篇文章，大意是我要和理想主义告别，类似宣言。但是最近，我以为我再也不会以理想的眼来看社会、来看世界、来看生活，我觉得，我变得特别地理性，而且有的时候觉得由于我不理想了，似乎我变得深刻了。但是我知道我内心里面，其实还是眷恋理想。我还是觉得人内心一定要拥抱什么，只不过那是什么，我不知道，我已经寻找不到。后来由于上课的需要，我重读了这个马丁·路德·金的《我有一个梦想》，这是他在华盛顿林肯纪念堂前所做的演讲。在此之后不久，如果我没有记错，他实际上也像林肯一样被暗杀了。那么他在说，然而一百年后，黑人依然没有获得自由。一百年后，黑人依然翡惨地蹒跚于种族隔离和种族歧视的枷锁之下。一百年后，黑人依然生活在物质繁荣浩瀚的贫困孤岛上。一百年后，黑人依然在美国社会中向隅而泣，依然感到自己在国土家园中流离漂泊。所以我们今天到这里来，要把这骇人听闻的情况公之于众，从某种意义上说，我们来到国家的首都是为了兑现一张期票。我们共和国的缔造者，这指林肯，在拟写宪法和《独立宣言》的辉煌篇章时，就签订了一张每一个美国人都能继承的期票，这张期票向所有人承诺，不论白人还是黑人，都享有不可让渡的生存权、自由权和追求幸福权。然而今天，美国依然对它的有色公民拖欠着这张期票，美国没有承兑这笔神圣的债务，而是开给黑人一张空头支票，一张盖着资金不足的印迹、被退回的支票。但是我们决不相信，正义的银行会破产。黑人得到公民权之前，美国既不会安宁也不会平静。但是对于站在通向正义之宫艰险门槛上的人们，有一些话我必须要说，在我们争取合法地位的过程中，切不要错误行事导致犯罪。我们且不要吞饮仇恨辛酸的苦酒，来解除对自由的饥渴。朋友们我今天要对你们说，尽管眼下困难重重，但我依然怀有一个梦，这个梦深深植根于美国之梦中。我梦想有一天，这个国家将会奋起实现其立国信条的真谛，我们认为这些真理不言而喻，人人生而平等。我梦想有一天，在佐治亚州的红色山岗上，昔日奴隶的儿子能够同昔日奴隶主的儿子同席而坐，亲如手足。我梦想有一天，我的四个小儿女将生活在一个不是以皮肤的颜色，而是以品格的优劣来作为评判标准的国家里。这是我们的希望，这是我将带回南方去的信念。有了这个信念，我们就能从绝望之山开采希望之石。有了这个信念，我们就能把这个国家嘈杂刺耳的争吵声，变为充满手足之情的悦耳交响曲。

当我重读这篇演讲词的时候，又想到了"理想"两个字，就像我刚才提到和谐社会也是理想一样。梦是什么呢？在中国人这里，梦是虚无缥缈的，是超现实的，因此我们有一个词叫做痴人说梦。但是在马丁·路德·金那里，梦，就是理想。它为所有的美国黑人，也为美国本身来指出这个理想。因此我想，我们中国人，不要轻易地因为我们曾经扭曲了对于理想这一词的理解，而以后就永远地抛弃它，对于人类社会学中、思想中最可宝贵的词汇。美国当年的这个种族歧视是非常严重的，我们会想到三K党，会想到燃烧的黑人的农庄，恐怖和骇人听闻。但即使在那样的情况下，马丁·路德·金，依然有他的梦想，有他的理想。那我想，所有的中国人都应该学习这一点。

第三段

我们现在面临的事情也很多，西方在数百多年以前，就把权利、正义和公平写在他们的宪章上。而我们则恰恰是在这一届政府工作报告中，也郑重地把民主和法制，公平和正义写在我们的政府工作报告中。理想不能仅仅成为语言，有时还一定要成为行动，而且首先要形成国家性的行动。所以这一届政府拿出一千多个亿，免除了部分贫困地区的农民的土地税和其他税，免除了那里的孩子们的学杂费。如果孩子们上了高中需要住宿的话，还有住宿补贴费，我认为这就是一种兑现。所以我觉得，和谐的社会一定是对小康社会的一种前提、一种保障、一种补充。因为小康社会恰恰是指这样的，它完全是可以用GDP来衡量的，有时候还可以用平均指数来衡量的，那就是看一个国家，它的最广大的、最普通的那些人，他的生活水准达到了什么样的程度。我们说中央政府提出构建和谐社会，其实就是要在社会发展的这个褶皱里，从细节方面来解决诸多难题，来解决诸多问题。

我们今天在这里能够谈论文化与和谐社会的关系，我觉得我们也应该感激我们的思想者的前辈，这使我想到胡适先生说过的一句话，他说，"如果想收获什么，就要那样去栽"。他是一代大文豪、一代宗师，"五四"的旗手之一。我最初看这段话的时候不太理解，这很像农民的话。但是恰恰他把这两句话写了许多字幅，送给许多知识分子。他为什么？后来我确实觉得这话里包含着那样的意义，就是从自我做起，我们都去努力，我们都要有一个目标，我们都要有一个理想。所以虽然我在四十五岁的时候宣布我告别理想，但是经过这么多年，又读了这么多书之后，现在我五十五岁了，我想对大家说的是，我还愿做一个理想主义者。

（掌声）

主持人：谢谢梁晓声先生为我们做的演讲，我们有很多网友在网上提问，所以我们来和梁晓声先生沟通交流一下。一位网友的名字叫做"教授教授越教越瘦"，他提的问题是，我读过您很多后期的作品，包括《中国社会各阶层分析》，您也说您自己是平民的代言人，看得出您理想主义的心态，但是您是不是也有仇富的心态，因为在您的作品当中，好像只有贫贱下层社会的人才是道德的，笔下的商人总是有一点妖魔化。

梁晓声：是啊是啊，当然我承认确实在写《中国社会各阶层分析》这部书的时候，我的眼睛没有看到后来中国有那么多年轻的科技人才、文化精英，他们本身把他们的事业做得非常好，这一代人和80年代初期的那代人，是不一样的，就是那些骑着摩托，背着秤来积累第一笔财富的人，两个十年中的人是不一样的。因此，如果《中国社会各阶层分析》还会再版的话，我要做的第一件事就是在这一点上要做极充分的补充，它才是相对全面的。

主持人：好，谢谢您的回答。

学生：梁老师，您好！我是中国传媒大学新闻传播学院的一名学生，我们知道，就说作品吧，除了它体现时代之外呢，还有很多体现了这个作者的人生，是作者人生的再叙述。我想问一下，您在这些作品中，它体现了您人生的多少成分，或者说哪部作品更多地代表了您的人生，代表了您自己，您的自我？谢谢！

梁晓声：听明白了，亲爱的同志，怎么他刚才说了一个词叫"自我"，"自我"这个词在我们开始写作，在我们从小长到大，一直到80年代初期，我们成为获奖作家的时候，我们还都没有听说过这个词，因此应该说我这一代人在长到三十几岁的时候，少有自我。

主持人：只有集体意识。

梁晓声：我们的自我意识是非常被动的，确实是被压抑的，压抑之久，有时就会忘记。

谈到写作的时候，你们大概不知道，当我们写作的时候，中国的十年"文革"刚刚结束。这意味着什么呢？这意味着文学需要本能地来面对那场劫难，文学必须给出记录和表达。文学那时还不允许像今天这样自我，即使那时有作家意识到自我了，那也是放在表现那个大背景下来表现的，比如说我的小说里面都是以我为第一人称的《父亲》、《这是一片神奇的土地》。这里我想提出的一个问题是，还以这个《悲惨世界》为例，《悲惨世界》在几年前，因为它后来被不断地搬上银幕，搬上舞台，它成为法国国家剧院的经典保留节目，在世界许多国家演了二十四年，但是可能是去年，宣布从经典节目的名单上撤下来了，我不知道这位同学怎么想？你认为这意味着什么呢？这意味着《悲惨世界》它的价值寿终正寝了吗？这意味着它过时了吗？这意味着它终于速朽了吗？不是的，这部书永远伟大，它的价值，它的意义已经融入到法国这个国家的文化灵魂中了，之所以现在不再需要演这出戏了，那是因为它已经把它的成分都化解在那个文化里了，法国的文化，法国这个国家以及它之后的文明，以及它之后的人文主义的这样一种国家理念，都得益于雨果，以及许多像雨果那样的作家。那样的一批作家，那样一批思想家，他们通过自己的文艺的、文学的，和有时候直接是社会学的作品，推动着西方的世界不断地向前进步着，于是社会解决了众多的问题。当这些问题得以解决，政治得以进步，生产得以文明，在这个前提下，才有今天的作家可以不再考虑那些问题。今天的作家才可以只写自己，就是了。

主持人：好，谢谢！（掌声）我想在座的很多同学可能和我一样，听完了梁晓声先生演讲之后，会有一种感动，而且刚才您的演讲也确实让我想到了一句话，我曾经听人这样说过，说如果一个民族完全陷于理想主义的狂热当中，那实在是太天真了，但是如果在一个民族当中，完全找不到理想主义的痕迹，那又实在是太堕落了，所以我想在今天我们这样一个商业社会当中，我们身边还会有像梁晓声先生这样的理想主义者，应该是我们所有年轻人的一件非常幸运的事情。再一次感谢梁晓声先生，也感谢我们在座的中国传媒大学的老师和同学们，下周同一时间《世纪大讲堂》我们再见！